KB182568

2030
삼성전자
시나리오

승자독식의 ICT 전장에서
최후의 패권을 거머쥘 자는 누구인가

2030 SAMSUNG SCENARIO

2030 삼성전자 시나리오

김용원 지음

SAY KOREA

2030년, 삼성이 무너지다

2030년 삼성전자 시스템반도체 도전 '완패'로 끝나다

2031년 2월 1일 김용원 기자

이재용 삼성전자 회장이 2019년 '시스템반도체 비전 2030' 이라는 표제 아래 제시한 성장 전략은 실패로 끝났다. 십여 년 동안 노력했지만 결국 TSMC와 인텔(Intel Corporation), 애플(Apple Inc.) 등 경쟁사의 장벽을 넘지 못한 것이다. 현재로선 미래 성장을 이끌어갈 뚜렷한 성장동력도 확인하기 어려운 상황이다.

한국 경제가 장기 침체기에 접어들고 수출의 문턱도 높아진 만큼 삼성전자가 이전과 같은 영광을 되찾기는 불가능하다는 비관론이 확산되고 있다.

1일, 다수의 시장조사기관이 발표한 2030년 글로벌 반도체 매출 순위에서 삼성전자는 TSMC와 인텔에 밀려 3위에 머물렀다. 파운드리 사업을 포함한 시스템반도체 매출은 10위권 밖으로 밀려났다. 메모리반도체는 1위를 유지했지만 점유율이 크게 하락했다.

TSMC는 여전히 부동의 전 세계 파운드리 1위 기업이다. 인텔이 삼성전자를 제치고 2위 자리에 안착한 이후 삼성의 설 자리는 더욱 좁아지고 있다. 애플과 퀄컴(Qualcomm), 엔비디아(Nvidia)와 AMD 등 핵심 고객사의 첨단 미세공정 반도체는 대부분 TSMC와 인텔의 대만 및 미국 공장에서 생산되고 있다.

삼성전자는 한국과 미국 내 첨단 파운드리 생산 공장 건설에 각각 수십조 원을 투자했지만 사실상 '개점휴업' 상태다. 가동률이 경쟁사 대비 현저히 낮은 수준에 그치고 있다. 시스템반도체 생산 능력과 수율, 단가 경쟁력이 모두 TSMC와 인텔에 밀리고 있어 시장 판도를 바꿔내기는 불가능에 가깝다.

삼성전자가 직접 설계한 모바일 프로세서 등 시스템반도체 성능도 애플과 퀄컴 제품보다 성능이 떨어진다. 중저가 갤럭시 스마트폰에 쓰이는 일부 물량을 제외하면 수요가 전무하다.

D램과 낸드플래시 메모리의 시장 점유율마저 선두를 지키기 쉽지 않다. 미국 정부의 강력한 지원을 받은 마이크론(Micron Technology Inc.)이 인텔과 애플, 엔비디아 등에 고사양 메모리를 공급하는 핵심 기업으로 자리 잡으며 삼성전자와 점유율 차이를 좁혀나가고 있다. 뉴욕주에 건설된 마이크론의 대규모 반도체 공장 가동 효과가 본격적으로 반영되면 삼성전자는 메모리 시장의 주도권마저 내주게 될 것으로 전망된다.

삼성전자가 한때 실적을 크게 의존했던 중국에서 미국 정부의 압박을 받아 반도체 생산 및 판매를 거의 중단하게 된 점도 삼성이 주저앉게 된 중요 원인이다.

주류 시장에 진입하는 데 실패한 폴더블 스마트폰에 이어 야심작으로 앞세운 롤러블 스마트폰과 폴더블 태블릿도 낮은 활용성과 편의성, 높은 가격으로 소비자들에 외면받고 있다.

애플은 폴더블 아이폰을 뒤늦게 출시했지만 모바일 앱과 콘텐츠 매출 확대에 성공했다. 반면 삼성전자의 모바일 제품들은 여전히 인터페이스 등의 측면에서 비판을 사고 있다.

애플은 증강현실 및 가상현실 헤드셋, 자율주행 전기차 '애플카'로 주력상품을 다변화하는 데 성공하며 독보적인 전자 업체로 브랜드 가치를 더 높이고 있다.

이재용 회장은 그동안 우리 정부의 정책 방향에 맞춰 삼성전자의 새 성장 전략을 여러 차례 제시했다. 인공지능과 자율주행차, 로봇 등 신산업에 수백조 원 규모의 투자도 확정됐다. 그러나 단기간에 새로운 사업 영역에서 경쟁력을 확보하는 일은 쉽지 않았다. 시장의 기대와 달리 인수합병 등 과감한 투자도 이뤄지지 않아 뚜렷한 성장 계기를 마련하지 못했다. 삼성전자의 글로벌 경쟁력 약화는 자연히 국내 경제에도 악영향을 미쳤다. 반도체 등 핵심 산업에서 삼성전자의 리더십이 흔들리며 전 세계에서 한국의 입지도 점차 위축됐다.

수출에 크게 의존하던 우리나라 경제는 저성장 시대로 들어섰다. '5만 전자'에 복귀한 삼성전자 주가가 반등 계기를 찾는 일도 그만큼 어려울 것으로 전망된다. 반도체 등 기존의 캐시카우 사업이 일제히 부진을 겪는 데다 미래 성장성도 증명하지 못했기 때문이다.

삼성전자가 2020년대 들어 여러 라이벌 기업과 치열한 경쟁을 벌일 때 효과적 대응 전략을 마련했다면 상황이 지금과 달라졌을 것이라는 전문가들의 아쉬움 섞인 의견도 나온다. 하지만 이제는 부질없는 가정에 불과하다. 한국의 국가대표 기업으로 높은 기대를 받았던 삼성전자의 몰락을 모두가 지켜볼 수밖에 없는 상황이 됐다.

위기의 국가대표

2030년 삼성전자를 상상하며 작성한 이 가상의 기사는 최악의 상황을 가정한 시나리오다. 삼성전자가 이러한 미래를 앞두고 있다고 믿기는 어렵다. 하지만 완전히 허황된 미래라고 볼 수도 없다.

삼성전자가 현재 맞이한 상황은 절대 녹록지 않다. 당장 최근 실적이 이를 방증한다. 2023년 1분기 삼성전자 영업익은 6,400억 원대로 1년 전보다 95% 감소했다. 연간 적자 전환 가능성도 있다. 글로벌 경기 침체와 소비 위축에 직격타를 맞은 것이다.

이런 위기는 언젠가 끝나겠지만, 더 불안한 것은 삼성전자의 미래다. 현재 주력 사업과 중장기 성장동력 모두 성과를 자신할 수 없기 때문이다. 가장 큰 이유는 갈수록 치열해지는 경쟁이다.

전 세계 반도체 기업과 스마트폰 제조사들이 모두 삼성전자의 행보에 촉각을 기울이고 있다. 삼성전자의 매서운 추격을 경계하는 업체도, 삼성전자를 따라잡으려는 기업도 어느 때보다 막강하다. 삼성전자는 주된 사업 영역에서 '절대강자'로 거듭나겠다는 꿈을 꾸고 있다. 그러나 여러 라이벌 기업의 공세가 만만치 않다. 라이벌 기업들의 정부 또한 각종 산업 지원 정책을 어느 때보다 적극적으로 펼치고 있다.

현재 삼성전자는 반도체, 디스플레이, 모바일 등 여러 분야에서 최고의 기업이다. 그만큼 강한 견제를 받을 수밖에 없다. 반도체, 모바일, 신사업 등 여러 영역에서 다수의 라이벌을 동시에 상대해야 한다. 자연히 대응 여력이 한계에 부딪히거나 리스크를 안게 될 가능성도 크다.

지금 같은 구조라면, 냉정히 말해 앞으로의 경쟁에서 살아남기 쉽지 않다. 삼성전자가 미래에 최악의 시나리오를 피하기 위해 넘어야 할 상대는 모두 세계에서 손꼽히는 강대 기업이다. 매출 규모와 자금 여력, 기술력 등이 대부분 삼성전자를 앞선다. 그리고 이들의 목표는 분명하다. 삼성전자를 물리치거나, 삼성전자의 추격을 허용하지 않는 것이다.

나는 기자가 된 이후 지금까지 삼성전자와 반도체 분야 취재를 담당했다. 주로 해외 주요 언론과 애널리스트의 자료를 취재하고 분석해왔다. 거의 10년에 가까운 시간 동안 매일같이 여러 경로를 통해 삼성전자에 대해 공부하고 있는 셈이다. 해외에서 삼성전자를 바라보는 시각은 국내와 분명한 차이가 있다. 그들은 삼성전자를 자국 기업의 경쟁상대로 대한다. 바라보는 관점, 시선이 우리와 다르다. 자연히 나 또한 새로운 관점에서 삼성전자를 보게 됐다.

국내 언론과 증권사에서 언급하는 삼성전자 관련 내용은 독자의 성격을 고려할 수밖에 없다. 주주 또는 한국 경제의 일원으로서 지켜보는 삼성전자는 전 국민의 응원을 받는 국가대표다. 물론 재벌 기업의 특성과 오너 일가 중심 경영에 대한 비판적 시각도 많다. 하지만 그런 비판의 기저에는 삼성전자가 우리나라 경제 성장을 이끌어주기 바라는 응원의 마음도 깔려 있다.

삼성을 위한 책이 될까, 라이벌의 성공 스토리가 될까

안타깝게도 소위 '국뽕'을 빼고 바라본 삼성전자는 사면초가에 놓인 상태다. 조금만 빈틈을 보여도 금세 기회를 노리는 라이벌 기업의 공격에 무너질 수 있다.

지피지기백전불태(知彼知己百戰不殆). 상대를 알고 나를 알면 백 번 싸워도 위태롭지 않다. 진부한 표현이지만, 이 책에서 전하려는 메시지의 핵심이다. 삼성전자의 미래를 예측하기 위해서는 삼성전자의 라이벌을 살펴봐야 한다. 이를 통해 우리가 모르던 삼성전자의 현 위치를 파악할 수 있다.

TSMC와 애플, 인텔 등 삼성전자의 주요 경쟁사 이름은 흔히 들어 익숙하다. 하지만 실제로 우리는 이러한 기업에 대해 얼마나 알고 있는가? 삼성전자가 정말 이들과 경쟁할 때 충분히 승산이 있는가? 혹시 애플의 신제품이 출시될 때마다 등장하는, 아이폰이 갤럭시보다 못하다는 뉴스를 믿고 있는가? 그런데 왜 애플은 삼성전자를 제치고 프리미엄 스마트폰 시장점유율 1위를 차지하고 있을까?

삼성전자의 현재를 알고 미래를 예측하는 데 핵심이 될 질문들에 대답하기 위해서는 삼성전자와 라이벌 양측의 상황을 심층적으로 비교하고 분석해봐야 한다. 그리고 삼성전자가 경쟁에서 이기기 위해서 어떤 대응 전략을 준비하고 있는지, 또는 어떤 점을 놓치고 있는지 살펴보아야 한다. 이는 여러 라이벌 기업이 성장해온 배경과 그 과정에서 어떤 약점을 안게 됐는지 살펴보아야 유추할 수 있다.

이재용 회장 시대의 삼성전자는 과거 이병철 창업주와 이건희 선대 회장 때의 모습을 많이 닮아가고 있다. 조직에 끊임없는 변화와 혁신을 주문하며 삼성이 앞으로 나아갈 중장기 비전을 제시한다는 점이 그렇다. 하지만 이재용 회장의 방향성이 확실한 솔루션이라기보다는 의지를 보여주기 위한 메시지에 그치고 있는 건 아닌지 돌아봐야 한다.

삼성전자가 지속가능한 성장을 위해 나아가야 하는 길은 이전과 달라졌다. 글로벌 IT 산업 환경은 기업의 생존을 위해 '적응형 경쟁(adaptive competition)'을 요구하고 있다. 적응형 경쟁은 새로운 기술의 등장과 시장 변화에 따라 전략을 끊임없이 바꿔내고 발전시키는 능력을 필요로 한다. 과거에 성공을 이끌었던 선례가 앞으로의 성과를 보장하지 않는다는 점을 인식하고, 구체적이고 실현 가능한 방식으로 새로운 도전에 대응해야 한다.

‘시스템반도체 1위’ 또는 ‘초격차를 통한 초일류 삼성’과 같은 지금의 비전으로는 공감을 얻기 어렵다. 삼성전자가 이제부터라도 앞세우고 실현해나가야 할 목표는 더 명확하고 직접적이어야 한다. 그리고 이러한 메시지는 주요 라이벌 기업과 경쟁에 맞춰야 한다.

삼성전자의 역사를 살펴보면 한 가지 중요한 포인트를 찾을 수 있다. 지금의 삼성전자는 무수한 라이벌과의 끊임없는 경쟁을 통해 만들어졌다. 삼성전자가 처음부터 1등 기업으로 자리 잡은 분야는 없다. 후발주자로서 경쟁사를 밀어내기 위한 고군분투 끝에 이뤄낸 성과다. 선두를 차지한 뒤에도 후발주자의 추격을 계속 방어해왔다. 라이벌이 없다면 지금의 삼성도 존재하지 않았다.

그렇다면 경쟁사의 위협은 오히려 지금의 삼성전자를 한 단계 더 도약시키는 강력한 계기가 될 수 있다. 라이벌 기업의 공세에 대응해 새로운 전략을 찾고 발전시켜나가는 길은 결국 삼성전자의 근본적 역량 강화로 이어질 것이기 때문이다. 다만 지금의 경쟁은 과거와 비교해 복잡하고 어려운 싸움이 될 수밖에 없다.

과거 일본 반도체 및 디스플레이 기업을 무너뜨린 삼성의 비결은 과감한 연구개발 및 생산 투자였다. 그러나 지금 삼성전자가 직면한 경쟁 환경에서 이는 기본값에 불과할 뿐이다. 현재 시장 상황은 물론 미래의 전망, 각국의 산업 정책이나 새로운 경쟁사의 등장과 같은 변수를 모두 종합적으로 고려한 ‘마스터 플랜’이 필요하다.

삼성전자의 라이벌 기업 역시 이러한 점을 충분히 염두에 두고 경쟁에 임하고 있다. 삼성의 대응 방식이 이들의 움직임에 맞추면서도 끊임없이 진화해나갈 수밖에 없는 이유다. 앞으로 벌어질 무한경쟁의 시대에 삼성전자가 뒤처진다면 이 책은 훗날 '삼성의 라이벌이 삼성을 이긴 비결'을 말해주는 기록으로 남을 수도 있다.

2030년이 지나 이 책을 마주하게 될 때, 명실상부 세계 최고의 IT 기업인 삼성전자가 경쟁사와 어떠한 싸움을 벌이면서 위기를 이겨내왔는지 돌아보는 기록이 되기를 희망한다.

차례

제2장

VS. 애플

프레너미, 적과의 동행

제3장

VS. 인텔

삼성 인사이드의 꿈

제4장

VS. 중국

결국 골리앗을 이겨야 한다

제5장

VS. LG, SK 그리고 현대자동차

세대교체의 승자는 누구인가

VS. 삼성

2030 이재용의 삼성은 어떤 모습일까

닫는 글

제1장

VS. TSMC

진정한 린치핀은
누구인가

세계 경제를 움직이는 린치핀, TSMC

최근 반도체 산업, 더 나아가 세계 경제 전반을 다루는 뉴스에서 TSMC는 단골로 등장하는 이름이다. '반도체 파운드리 분야 부동의 1위', '삼성전자가 맞서야 할 가장 중요한 라이벌'이라는 표현도 심심치 않게 나온다. 최근에는 워런 버핏(Warren Buffett) 회장이 이끄는 투자회사 버크셔해서웨이(Berkshire Hathaway Inc.)가 TSMC 주식을 대량으로 거래한 뒤 매도해 큰 수익을 거뒀다는 소식이 전해지기도 했다.

미국도 아닌 대만 기업이, 이름조차 생소했던 회사가 삼성전자와 비교되며 한국 국민들에게 빠르게 인지도를 높이고 있는 것이다. 과연 세계 반도체 시장에 어떤 변화가 일어나고 있는 걸까?

「파이낸셜타임스(Financial Times)」는 2021년에 TSMC를 이렇게 소개했다.

"TSMC는 세계 경제를 움직이는 린치핀(linchpin)이 되었다."

린치핀은 수레나 마차의 바퀴가 빠지지 않도록 고정하는 핀을 말한다. TSMC가 없다면 세계 경제는 바퀴 빠진 마차처럼 주저앉고 말 것이라는 뜻이다. 「파이낸셜타임스」가 이런 평가를 내린 당시는 코로나19 팬데믹의 영향으로 자동차와 전자제품 등 주요 산업에서 극심한 반도체 공급난이 가속화되던 시기였다. 허다한 반도체 기업 가운데 TSMC가 이처럼 '가장 중요한 축'이라는 평가를 받게 된 이유는 무엇일까?

TSMC는 어떻게 파운드리 1위 기업이 되었나

TSMC의 이름은 Taiwan Semiconductor Manufacturing Company Limited, 즉 '대만 반도체 제조회사'의 영어 이름 앞글자를 딴 약자다. 대만 현지에서는 '대만적체전로제조고분유한공사(台灣積體電路製造股份有限公司)', 줄여서 대적전(台積電)이라고 불린다. 1987년 창업할 때부터 고객사 반도체를 위탁 생산하는 파운드리 사업 모델을 구축했고, 이를 현재까지 유지하고 있다. 오랜 기간에 걸쳐 고객사 기반을 확장하면서 반도체 공장도 꾸준히 증설해왔다.

이 회사의 설립 배경은 일반적인 기업과 조금 다르다. TSMC는 반도체 기업을 육성하려는 대만 정부의 목표 아래 전략적으로 설립됐다. 대만 정부는 중국 출신 반도체 전문가였던 장중머우(張忠謀, Morris Chang)를 영입하여 급성장하는 반도체 시장에 대응할 수 있는 기업의 설립을 맡겼다. 장중머우는 처음에는 대만국책연구기관인 공업기술연구원(ITRI)에서 일하며 TSMC 설립의 토대를 닦았다. 그리고 1987년 TSMC가 출범한 이후 지금까지 지대한 영향력을 행사하고 있다.

TSMC가 주력으로 생산하는 시스템반도체는 비메모리반도체라고도 불리며 메모리 이외 모든 반도체를 의미한다. CPU와 그래픽 반도체, 통신 반도체는 물론, 다양한 센서와 전력 관리에 쓰이는 반도체가 모두 시스템반도체로 분류된다. 자동차, 통신기기 등 일상적으로 쓰는 거의 모든 제품에 필요하다. 설립 초반에는 자연히 이런 상품에 들어가는 반도체를 설계하는 기업들이 주요 고객사였다. 네덜란드 가전업체 필립스(Royal Philips)는 TSMC의 초기 투자자에 이름을 올리기도 했다.

세계 경제가 성장함에 따라 가전과 자동차 등의 수요가 늘어나자 TSMC도 반도체 생산 공장을 늘리면서 수요 증가에 대응했다. 3마이크로미터(3,000나노미터) 수준이던 초기 미세공정 기술도 180나노

미터, 90나노미터, 65나노미터 등으로 꾸준히 발전해왔다.

반면 삼성전자가 오래전부터 주력으로 삼은 분야는 D램과 낸드 플래시 등 메모리반도체다. 메모리반도체는 간단히 말해 디지털화된 정보를 저장하고 읽어들이는 데 쓰는 부품이다. 쓰임새가 분명하고, 기술 발전에 따라 필요한 정보량도 자연히 늘어나는 만큼 수요 증가가 보장된 상품이다. 또한 삼성과 같이 반도체 사업에 뒤늦게 뛰어드는 기업이 진출하기에는 진입 장벽이 상대적으로 낮았다.

반도체 종류에 따라 필요한 기술 수준이 달라지는데, TSMC는 이 가운데 가장 어려운 첨단 미세공정 분야에 독보적인 경쟁력을 갖고 있다. 전 세계 반도체 시장에서 시스템반도체가 80%, 메모리반도체가 나머지 20% 정도 비중을 차지하는 만큼, 초반 시장 진입이 어려워도 성장성은 시스템반도체가 더 크다.

TSMC의 성장세는 시스템반도체를 설계하지만 직접 생산할 능력이 부족한 팹리스(Fabless) 기업이 IT 산업의 전면에 등장하면서부터 본격화됐다. 이는 전 세계 반도체 산업의 상징과 같았던 인텔이 점차 영향력을 잃게 된 시점과 겹친다.

개인용 컴퓨터(Personal Computer, PC)를 중심으로 성장하던 IT 시장은 2000년대 중후반부터 모바일 중심으로 빠르게 재편되었다. 시스템반도체를 직접 개발하고 생산하던 인텔이 안일한 판단으로 모바일 시장 진출에 늦은 사이 퀄컴과 미디어텍(MediaTek), 브로드컴

(Broadcom Inc.) 등 경쟁기업들이 빠르게 시장을 선점했다.

그런데 이들은 인텔과 달리 자체적인 반도체 생산 역량이 없었다. 따라서 대신 고사양 반도체를 생산해줄 기업이 필요했고, TSMC는 이런 수요에 맞춰 미세공정 기술 개발을 서두르고 있었다. 결국 TSMC는 모바일기기의 성능과 전력 효율을 크게 개선시켰고, 모바일 중심의 새로운 시대를 여는 데 기여했다.

다시 또 하나의 파도가 몰려오고 있다. 최근 인공지능의 시대가 열리면서 엔비디아와 AMD 등 그래픽 처리 장치(Graphics Processing Unit, GPU)를 설계하는 기업들에 기회가 찾아온 것이다. 다수의 연산을 동시에 처리해야 하는 인공지능 기술 특성상 병렬식 연산구조를 갖춘 GPU 기반의 반도체 활용이 중요해졌기 때문이다. 인공지능 반도체 수요는 반도체를 직접 생산할 능력이 없는 AMD와 엔비디아의 위탁생산 수요를 키웠고, TSMC는 이들의 고성능 반도체를 구현할 수 있는 거의 유일한 업체였다. TSMC로서는 새로운 추진력을 얻은 셈이다.

삼성전자가 TSMC의 대항마로 파운드리 시장에 등장한 시점 역시 이렇게 고성능 시스템반도체의 위탁생산 수요가 빠르게 늘어나고 있던 때다. 메모리반도체의 강자 삼성전자와 시스템반도체의 강자 TSMC가 파운드리 시장에서 본격적으로 경쟁 구도를 형성하게 된 것이다.

그렇다면 두 기업의 경쟁 판도는 어떻게 흘러가고 있을까? 뒤늦게 진출한 파운드리 시장에서 삼성전자가 승산이 있을까? 이 장에서는 그 단서를 하나씩 짚어보자.

대만 반도체의 아버지, 장중머우

TSMC를 창업한 장중머우는 2023년 현재 90세가 넘는 나이에도 대만의 경제 사절로서 활발히 활동하고 있다. 2018년 전문경영인에게 최고경영자 자리를 넘겼지만, 여전히 '대만 반도체의 아버지'로 불리며 막강한 영향력을 행사하고 있다. TSMC의 역사가 곧 장중머우의 역사라고 할 수 있기에 그의 생애를 잠시 살펴보자.

1931년 중국 저장성에서 태어난 장중머우는 홍콩을 거쳐 18세가 되던 해 미국으로 이주했다. 이후 하버드대학교와 MIT에서 기계공학 학사와 석사 학위를 받았다. 미국 땅을 밟은 뒤 4년 만에 이뤄낸 일이다.

그러나 박사 학위 취득이 여의치 않자 곧바로 미국의 반도체 기업에 취직했고, 이후 산업용 반도체 분야의 선두주자였던 텍사스인스트루먼츠(Texas Instruments)로 이직했다. 여기서 그는 25년의 경력을 쌓으며 글로벌 반도체 영업을 책임지는 자리까지 오른다. 이때 시스템반도체 제조 분야에서 쌓은 생산수율(전체 생산품 대비 양품의 비율) 개선 경험은 TSMC 창업과 발전에 중요한 밑바탕이 되었다.

장중머우는 대만 정부의 제안으로 TSMC와 대만공업기술연구원 회장직을 겸임하며 TSMC를 이끌었다. 잠시 다른 대만 반도체 기업의 경영을 맡기도 했지만 2009년 TSMC로 돌아와 2018년 은퇴할 때까지 TSMC를 주축으로 한 대만 반도체 산업의 태동기와 성장기를 주도했다.

장중머우는 인터뷰에서 "TSMC를 창업할 때만 해도 나나 대만 정부의 결정을 이해할 수 없다는 분위기가 업계에 널리 퍼져 있었다"고 회고했다. 당시는 반도체 파운드리 시장 자체의 중요성과 성장성을 크게 보지 않았고, 고객사를 안정적으로 유지하기도 쉽지 않았던 시기였다. 하지만 여러 시스템반도체 기업을 거친 그는 TSMC와 같은 순수 파운드리 업체가 시장의 수요에 능동적으로 대응할 수 있다고 확신했다.

결국 그의 판단이 옳았다. 지금의 TSMC를 만들어낸 것은 장중머우의 선견지명과 대만 정부의 노력이 함께 빚어낸 산물이라고 할 수 있다.

불꽃 튀는 반도체 기술 경쟁

새해를 불과 사흘 남짓 남겨둔 2022년 12월 29일, 대만 타이난시 남부과학단지(南部科學園區)에 위치한 TSMC FAB18 공장에서는 대대적인 행사가 열렸다. TSMC가 3나노미터 반도체 양산에 성공했음을 공식적으로 발표하는 자리였다.

이날 행사에는 류더인(劉德音, Mark Liu) 회장을 비롯한 TSMC 주요 경영진은 물론 대만 정부 고위 관계자와 학계 전문가, 해외 협력사 임원들이 대거 참석했다. 2022년 초부터 "연내 3나노 반도체 대량 생산을 시작하겠다"고 공언해온 류더인 회장의 약속이 실현되는 날이었다. 그는 이 자리에서 "TSMC는 (반도체 산업의) 기술 리더십을 지켜내고 있다. 가장 경쟁력 있는 공정 기술과 신뢰할 수 있

TSMC와 삼성전자 파운드리 미세공정 기술 도입 로드맵
(생산 시작 시점 기준)

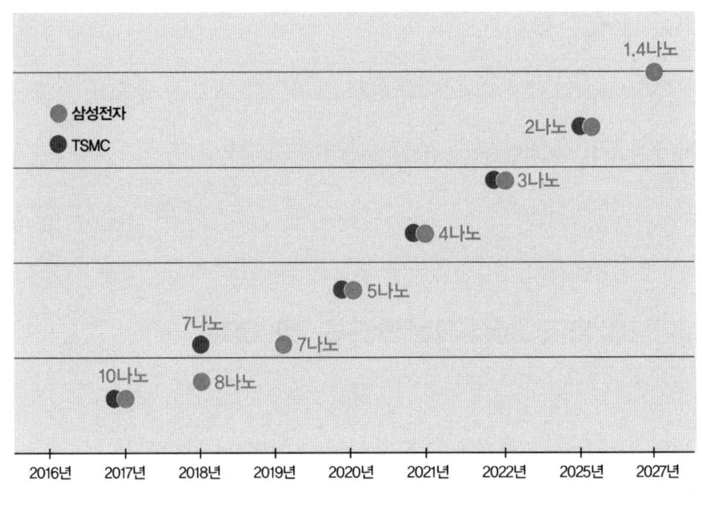

출처: 트렌드포스(Trendforce) 및 각 사 발표

는 생산 능력으로 미래를 위한 전 세계의 기술 혁신을 이끌겠다" 고 선언했다.

TSMC가 이런 행사를 연 것은 조금 특별하다고 할 수 있다. TSMC는 지난 수십 년에 걸쳐 꾸준히 나노미터 단위 급의 미세공정 기술을 발전시켜왔다. 3나노 반도체 생산에 성공하기 약 10년 전까지만 해도 28나노 공정이 가장 앞선 기술이었으나 이후 20나노와 10나노, 7나노와 5나노 등으로 꾸준히 발전했다. 2025년부터는 2나노 공정 반도체를 생산하겠다는 계획도 내놓았다. 하지만 지금까지 TSMC가 새 공정 기술을 도입할 때 주요 경영진이 전면에 등장하고 외부 관계자까지 초청하는 대대적 행사를 개최한 경우는 거의 없었다.

TSMC가 이처럼 다소 이례적인 방식으로 새로운 반도체 기술을 적극적으로 홍보한 것은 무엇 때문일까?

10억분의 1미터, 불꽃 튀는 반도체 기술 경쟁

반도체 미세공정 기술은 복잡한 용어가 많이 등장하는 분야이기에 TSMC의 3나노 반도체 양산이 갖는 의미를 한눈에 파악하기란 쉽지 않다. 또 5나노 등 기존의 기술과 어떻게 다른지도 설명이 필요하다. 이를 최대한 쉽게 풀어보자.

반도체 제조 분야에서 나노미터 단위의 숫자가 낮아진다는 것은 반도체를 더 정교하고 미세하게 생산할 수 있다는 뜻이다. 이를 통해 반도체의 연산 성능은 더 높아지고 사용하는 전력량은 줄어든다. 연산력과 전력 사용량은 반도체 분야에서 가장 중요한 기술적 평가 기준이다. 따라서 얼마나 정교하게 반도체를 생산할 수 있느냐는 곧 기업의 경쟁력을 상징한다.

1나노미터는 1미터를 10억으로 나눈 단위다. 10만 나노미터는 머리카락 하나 굵기 정도라 보면 된다. 반도체 안에는 전기가 흐르는 회로가 인쇄되는데, 반도체가 몇 나노의 공정에서 생산되었다는 말은 이 회로선의 폭을 의미한다. 즉, 3나노 미세공정 반도체는 회로선 사이 간격이 10억 분의 3미터라는 뜻이다. 반도체의 구동 성능과 전력 효율은 회로선을 얼마나 촘촘하게 구성할 수 있느냐에 의해 결정된다. 당연히 공정이 미세해질수록 생산 난이도 역시 높아지며, 더 많은 비용이 들어간다.

따라서 TSMC가 기존에 주력으로 하던 5나노 미세공정을 넘어 3나노 공정 반도체 양산에 성공했다는 선언은 대내외에 충분히 자랑할 만한 뉴스다. 눈으로 볼 수 없는 건 당연하고 첨단 장비를 사용해야 간신히 알 수 있는 수준에서 반도체를 양산할 수 있다는 것은 그만큼 뛰어난 기술적 성과다. 그리고 이 기술은 곧 새로운 사업 기회와 연결된다. 반도체를 설계하지만 직접 제조할 능력이 없는 여러 고객사의 제품을 대신 생산하는 TSMC의 사업 특성상, 한 단계 앞선 공정을 활용한다는 것은 더 많은 일감을 확보할 수 있다는 의미이기도 하다.

그러나 TSMC가 이런 성과를 외부에 공개하는 행사를 연 더 중요한 이유가 있다. 바로 삼성전자 때문이다. TSMC가 삼성전자와 나노급 공정 기술 경쟁을 민감하게 의식할 수밖에 없는 상황에 놓이게 되면서 반도체 시장의 판도가 근본적으로 달라지고 있다.

3나노 반도체를 누가 먼저 선점할 것인가

TSMC는 세계 반도체 파운드리 시장에서 오랜 기간 부동의 1인자였다. 뚜렷한 경쟁사가 없는 최고이자 유일무이한 기업이었기에 굳이 기술력을 자랑할 필요가 없었다. 최신 공정 기술에 관한 정보는 고객사들만 알면 충분했기에 이를 외부에 홍보할 필요도 없었다.

하지만 삼성전자가 2017년 10나노 공정을 앞세워 파운드리 시장에 본격적으로 진출하면서 분위기는 완전히 바뀌었다. 삼성전자는 자체 개발한 반도체 생산 외에도 점차 외부 고객사 기반을 확대하면서 TSMC의 시장 점유율을 조금씩 빼앗기 시작했다. 이후 7나노 공정을 도입하면서 추격의 기세를 더욱 올렸다. 경쟁사 대비 압도적 기술력을 자신하고 있던 TSMC에게 이는 상당한 위협이었다.

이후에도 삼성전자는 꾸준한 투자와 고객사 물량 수주 확보를 통해 결국 세계 파운드리 시장에서 2위 자리에 올랐다. 삼성전자와 TSMC 사이에서 벌어지는 기술 경쟁을 따라잡기 어려워진 여타 경쟁기업들은 조금씩 시장에서 도태되고, 시장은 삼성과 TSMC의 양강 구도로 재편되었다.

2022년 6월 30일, 삼성전자는 세계 최초로 3나노 미세공정 기반 반도체 양산을 발표했다. TSMC보다 반년이나 앞선 쾌거였다. 그리고 같은 해 7월, "혁신적인 기술력으로 세계 최고를 향해 나아가

겠습니다"라는 문구를 내걸고 주요 경영진과 임직원, 협력사 대표가 참석한 가운데 3나노 반도체 출하식을 열었다. 반도체 공정 기술에서 삼성전자가 TSMC를 제치고 세계 최고 기업에 올랐다는 성과를 널리 알린 날이었다.

삼성전자의 선제공격은 TSMC에게 상당한 충격을 주었다. 자존심에 큰 상처를 입은 것은 두말할 필요가 없다. 반도체 파운드리 분야에서 수십 년 동안 확보하고 있던 기술 선두를 경쟁사에 내주었으니 당연했다. 더구나 그 경쟁사는 이미 시스템반도체 설계 능력과 메모리반도체 생산 능력에서 TSMC가 갖추지 못한 기술과 역량을 확보하고 있는 종합 반도체 기업이었다.

TSMC의 3나노 반도체 양산 기념식 개최는 TSMC가 삼성전자와의 경쟁을 얼마나 민감하게 의식하고 있는지를 보여준다. 물론 이게 끝은 아니다. 앞으로 3나노 공정 분야에서 삼성전자와 TSMC 중 어떤 기업이 시장에서 더 우수한 평가를 받게 될지 판가름하는 여러 시험대가 남아 있다. 반도체 시장에서 확실한 기술 우위를 갖추고 있는 기업이라는 타이틀은 미래 주도권 확보에도 중요하다. 삼성전자와 TSMC의 기술 경쟁은 이제 새로운 국면에 진입했다고 할 수 있다.

두 회사의 3나노 반도체 경쟁이 2023년부터 본격화되었다는 점도 의미하는 바가 크다. 코로나19 팬데믹 이후 공급망 불안, 글로벌 경기침체, 지정학적 리스크로 인해 반도체 산업 침체가 가시화되고 있는 시점에서 삼성전자와 TSMC의 대결은 기술 경쟁을 넘어 성장을 위한 변곡점이자 치열한 생존 경쟁의 시작을 의미한다. 두 회사 가운데 어느 곳이 현실화된 위기를 순조롭게 넘기고 파운드리 사업에서 안정적 기반을 마련할 수 있을지는 3나노 미세공정 반도체의 성과에 달려 있다고 해도 과언이 아니다.

삼성전자의 반도체 위탁생산 사업을 총괄하는 최시영 파운드리 사업부 사장은 2022년 10월 실리콘밸리에서 열린 '삼성 파운드리 포럼'에서 2025년 2나노, 2027년 1.4나노 공정을 도입하겠다는 중장기 계획을 내놓았다. 지금의 기술적 성과를 지속적으로 이어가겠다는 의지의 표현이다.

기울어진 운동장

물론 TSMC도 가만히 있을 리 없었다. TSMC는 3나노 미세공정 반도체 양산을 발표하던 날, 구체적인 사업 목표도 함께 제시했다. '앞으로 5년 동안 3나노 기술이 창출할 시장 가치가 1조 5,000억 달러에 이를 것'이라는 자체 전망치를 내놓은 것이다. 새 반도체 기술이 삼성전자와의 경쟁에 의미가 있을 뿐만 아니라 미래 성장에 기여하는 수익원으로서 중요하다는 점을 전면에 내세운 셈이다. 그런데 이 발표는 파운드리 사업 후발주자인 삼성전자가 안고 있는 약점을 정면으로 겨냥하면서 TSMC의 강점을 과시한다는 숨은 의미를 담고 있다.

사실 삼성전자의 3나노 공정은 아직 경제적 가치를 가늠하기 어려운 상황에서 투자가 이뤄지고 있다. 또 삼성전자의 기술력이 TSMC를 앞선다 해도 파운드리 사업에서 TSMC를 따라잡는 건 당분간 현실적으로 쉽지 않다. 가장 큰 이유는 안정적인 현금 창출원인 고객사 기반이 부족하기 때문이다.

파운드리는 근본적으로 수주 사업이다. 고객사의 주문 물량이 안정적으로 유지되고, 이를 통해 꾸준한 매출과 수익을 확보하는 구조가 갖춰져야 한다. 사업 규모가 지금보다 축소되지 않을 것이라는 확신이 있어야 수요를 예측해 생산기반을 확장하고 미래 성장을 위한 기술 투자를 계획할 수 있다. 그런데 TSMC가 캐시카우 역할을 하는 대형 고객사를 여럿 두고 있는 데 비해 삼성전자는 특정 고객사를 예로 들기 쉽지 않은 상황이다.

우리는 고객과 경쟁하지 않는다

TSMC와 삼성전자의 주요 고객사는 어디일까? 아쉽게도 정답은 '당사자 외에는 아무도 모른다.' 두 회사 모두 자신의 파운드리 고객사가 어디인지 직접적으로 밝히지 않는다. 이는 고객사의 기술 사양을 외부에 노출해서는 안 된다는 표면적 이유 외에, 고객사들이 서로 민감한 경쟁 관계에 놓여 있기 때문이기도 하다.

다만 TSMC와 삼성전자의 신규 반도체 미세공정 도입 시기와 팹리스 기업의 신제품 출시 시점을 대조해보면, 해당 제품이 어느 파운드리 공정에서 생산되었는지 유추할 수 있다. 간혹 일부 고객사는 새로 선보이는 반도체의 성능 경쟁력을 강조하기 위해 특정 파운드리 업체의 최신 공정을 활용했다고 밝히기도 한다. 대표적인 기업이 애플이다.

애플은 TSMC 전체 매출에서 가장 큰 비중을 차지하는 최대 고객사다. 2022년 기준으로 TSMC 연 매출의 약 26%가 애플에서 발생한 것으로 추정된다. 아이폰과 아이패드, 맥북 등 애플이 판매하는 거의 모든 제품에서 두뇌 역할을 하는 애플리케이션 프로세서(Application Processor, AP)가 TSMC에서 생산된다.

애플이 매년 발표하는 신제품은 지금까지 출시될 때마다 뛰어난 판매실적을 올려왔다. TSMC의 안정적 실적 버팀목으로 애플이 꼽히는 이유다. 애플이 판매하는 기기의 종류가 다양해지면서 애플은 TSMC에 가장 중요한 고객사이자 캐시카우가 되었다.

TSMC의 3나노 반도체 미세공정 역시 애플을 첫 고객사로 받을 것으로 전망된다. 팀 쿡(Tim Cook) 애플 CEO는 TSMC의 미국 반도체 공장 장비 반입식에 참석해 애플이 사용하는 반도체가 해당 공장에서 생산될 것이라고 발표하며 두 회사의 협력은 "시작에 불과하다"고 말하기도 했다.

엔비디아와 AMD, 모바일 반도체 전문 기업인 퀄컴과 미디어텍도 TSMC 매출에서 상위권을 차지하고 있다. 서로 치열한 경쟁을 벌이고 있는 이들 기업은 기술력이 상대방에 뒤처지지 않도록 TSMC의 최신 미세공정 기술이 상용화될 때마다 앞다퉈 이를 활용하고 있다. 세계 주요 반도체 기업은 비슷한 시기에 신제품을 내놓고 성능 경쟁에 돌입하는데, 새로운 반도체 공정을 경쟁사보다 늦게 도입하면 제품 생산에 치명적 리스크가 될 수 있다. 이제는 소비자들도 반도체 제품이 어떤 공정에서 생산되었는지를 민감하게 받아들이고 있어 TSMC의 새로운 기술로 반도체를 생산하는 것은 마케팅 측면에서도 매우 중요하다.

최근에는 인텔도 TSMC의 고객사 리스트에 이름을 올렸다. 인텔은 그동안 대부분의 반도체를 자체 개발, 생산해왔지만 공정 기술력이 TSMC, 삼성전자와 비교해 뒤처지면서 경쟁에 밀릴 위기에 놓였다. 결국 인텔은 비싼 금액을 지불하더라도 TSMC에 반도체 생산을 위탁해야 한다는 결론을 내렸다.

위에 언급한 TSMC의 주요 고객사는 모두 세계 시스템반도체 시장에서 상위 10위 안에 들어가며, 따라서 TSMC 매출의 상당 부분을 차지한다. 새로 개발된 3나노 공정 기술 역시 상용화가 이뤄지기 전부터 선제적으로 반도체 생산 물량을 확보하려는 고객사들의 경쟁이 물밑에서 치열하게 벌어졌다. 인텔은 경영진이 대만의

TSMC 본사를 직접 방문해 3나노 반도체 물량을 확보하기 위한 협상을 여러 차례 진행할 정도로 공을 들였다. TSMC가 3나노 반도체 양산으로 1조 5,000억 달러의 경제적 가치를 창출하겠다고 자신한 것은 이처럼 주요 고객사의 탄탄한 대기 수요가 있다는 근거 있는 자신감 때문이다.

3나노 미세공정 반도체를 생산하는 데 드는 비용은 상당하다. 반도체 공정 기술이 발전할수록 더 복잡하고 다양한 공정이 필요하고, 기술 난이도가 높아져 연구개발에 그만큼 거액의 비용이 든다. TSMC가 3나노 반도체 웨이퍼(원판) 한 장을 생산하는 데 고객사에 약 2만 달러를 청구할 것이라는 예측도 있다. 7나노 공정 기반 반도체 웨이퍼의 평균 가격이 1만 달러 정도인 것과 비교하면 2배로 뛰어오른 셈이다. 지름이 12인치(약 30.5센티미터)에 불과한 금속 재질의 원판 한 장에 담긴 TSMC의 기술력이 그만큼의 놀라운 가치를 지니고 있는 것이다.

삼성전자의 치명적 약점

반면 삼성전자의 경우에는 다소 온도차가 감지된다. 삼성전자는 3나노 공정을 통해 "모바일 분야에서 복수의 대형 고객사를 확보했다"고 알렸지만, 안정적 실적 기반을 유지해줄 수 있는 대형 고객사의 윤곽은 흐릿하다. 삼성전자가 TSMC의 반도체 공정 기술력을 따라잡은 지 수년이 흘렀고 3나노 반도체 양산은 반년이나 앞섰는데도 이런 상황이 계속되는 이유는 무엇일까?

크게 두 가지 이유를 들 수 있다.

첫째, 파운드리 분야에서 삼성전자가 TSMC에 비해 훨씬 늦게 진출했다는 약점을 극복하기에는 절대적인 시간이 부족했다. TSMC는 앞서 언급된 주요 고객사들과 길게는 수십 년 전부터 협력 관계를 유지해왔다. 안정적 물량 공급과 꾸준한 반도체 성능 개선을 실현함으로써 고객사와 오랜 신뢰를 쌓아온 것이다. 자연히 고객사 입장에서는 삼성전자와 TSMC 사이 기술 격차가 현저히 벌어지지 않는 이상 거래처를 바꿀 이유가 없다.

삼성전자는 후발주자로서 당분간 이런 상황을 받아들이고 '기울어진 운동장'에서 힘겨운 싸움을 벌여야 한다. 고객사의 신뢰를 얻을 수 있도록 끊임없이 기술 발전에 매진하고 안정적인 생산에 역량을 투자해야 한다.

두 번째 이유는 공급 능력에 있다. TSMC는 새 반도체 공정 기술을 도입할 때 이미 다수의 고객사에서 잠재적 수요를 확보한 상태였다. 따라서 훨씬 공격적으로 생산 투자를 집행할 수 있다. 당장 3나노 등 첨단 공정만 놓고 봐도 TSMC는 대만에 600억 달러, 미국에는 400억 달러에 이르는 투자 계획을 내놓았다. 반면 삼성전자는 3나노 반도체의 수요 전망에 확신을 얻기 전까지 대규모 투자를 벌이기가 상대적으로 쉽지 않다. 이런 상황은 앞으로 생산 능력에 더 큰 격차를 만들 것이다. 결국 삼성전자로서는 큰 리스크를 안고 공격적으로 투자 확대에 나서 TSMC와 물량 경쟁을 벌일지 여부를 결정해야 하는 시점에 놓여 있다.

TSMC가 주도하는 게임의 법칙

삼성전자는 2019년 4월 30일 경기 화성캠퍼스에서 '시스템반도체 비전 2030'을 선포했다. 이 비전에는 2030년까지 시스템반도체 분야에 133조 원을 투자해 메모리반도체뿐 아니라 시스템반도체에서 확실한 세계 1위 기업으로 자리 잡겠다는 목표가 담겼다.

비전 발표식에는 당시 국정농단 사태와 관련해 재판을 받고 있던 이재용 부회장(현재 삼성전자 회장)이 참석했다. 이날의 발표는 삼성전자가 미래 성장동력을 확보하기 위한 뚜렷한 중장기 목표를 설정하고 실행하기로 선언했다는 점에서 의미가 있다. 이날은 삼성전자가 나아갈 길이 시스템반도체, 이 가운데도 파운드리에 있다는 점을 널리 알린 날이다.

그러나 삼성전자가 이 비전을 이룰 수 있을지에 대해서는 전문가 사이에서도 의견이 갈린다. 특히 시스템반도체 1위 달성이라는 목표를 내세우긴 했지만, 어떤 기준으로 1위를 판단하겠다는 것인지가 뚜렷하지 않다. 서로 다른 업체 간 순위를 비교하는 지표는 연간매출, 순이익, 수익성, 기술력 등 매우 다양하다. 만약 파운드리 공정 기술력 측면이라면, 삼성전자는 이미 TSMC를 추월했다고 볼 수 있다. 그러나 일반적으로 특정 산업에서 1위를 판단하는 기준은 '매출'이다. 매출을 기준으로 본다면, 삼성전자가 TSMC와의 경쟁에서 2030년까지 우위를 차지할 가능성은 냉정히 말해 그리 높지 않다.

가장 큰 이유는 삼성전자와 TSMC의 확연한 전략 차이 때문이다. TSMC는 수십 년 전부터 여러 유형의 고객사의 반도체를 위탁생산하면서 다양한 수요에 대응할 수 있는 능력을 키워왔다. 반면 삼성전자는 주로 대형 고객사를 대상으로 수주 기회를 노려왔다. 다양한 수요에 따른 대응력 측면에서 TSMC가 삼성전자보다 앞설 수밖에 없다.

TSMC가 운영하고 있는 반도체 생산 공장은 2021년 기준으로 12곳이다. 현재 신설되고 있는 미국과 일본 공장, 앞으로 구체화될 유럽 공장까지 고려하면 생산 규모는 더욱 커질 것이다. 미국은 글로벌 반도체 시장에서 자국의 생산 점유율을 키우겠다는 목적으로

TSMC의 현지 공장 투자를 적극적으로 유도했다. 일본 역시 자동차용 반도체 공급 부족 사태가 재발되는 일을 막기 위해 정부 차원에서 적극적인 TSMC 공장 유치에 나서고 있다. 독일을 비롯한 유럽 국가는 물론 인도 등 신흥국도 TSMC의 반도체 공장 유치를 위해 적극적인 러브콜을 보내고 있다.

TSMC의 글로벌 생산 거점 다변화는 앞으로 더 활발해질 것이다. 보호무역주의 확산으로 전 세계 부품 공급망에 불확실성이 커지고 있고, 코로나19 팬데믹을 거치며 극심한 반도체 공급난을 겪었던 국가들이 반도체 자급체제 구축을 서두르고 있기 때문이다. 러시아의 우크라이나 침공이 촉발한 지정학적 리스크와 중국의 대만 위협, 미국과 중국 사이에 벌어지고 있는 반도체 산업 패권 전쟁으로 이런 추세는 더욱 가속화될 것이다.

삼성전자 역시 2023년 기준으로 화성과 기흥, 평택캠퍼스, 미국 텍사스주 오스틴 반도체 공장에서 파운드리 생산 라인을 운영하고 있으며, 해외 여러 곳에서 공장을 설립해달라는 요청을 받고 있다.

넓고 얇은 vs 좁고 깊은

그러나 TSMC가 전 세계에 반도체 시설 투자를 확대하기는 비교적 용이한 반면, 삼성전자가 이런 결정을 내리기는 쉽지 않다. 앞서 언급했듯, TSMC가 다양한 고객사 수요에 대응하는 전략을 택하고 있는 반면, 삼성전자는 특정 대형 고객사의 수요를 충족하는 첨단 반도체 생산에 더 집중하고 있기 때문이다.

이런 전략의 차이는 두 기업이 가진 반도체 공정 기술의 강점이 다르기 때문이다.

반도체 업계에서는 미세공정을 크게 두 가지로 구분한다.

첫 번째는 개발된 지 충분한 시간이 지난 성숙 공정, 이른바 '레거시 공정'이며 두 번째는 주로 10나노 또는 그 이하로 삼성전자와 TSMC 사이 기술 경쟁이 가장 치열하게 벌어지고 있는 분야인 '첨단 미세공정'이다.

두 회사 모두 레거시 공정과 첨단 공정을 운용하고 있지만, 최근 투자 흐름을 살펴보면 다소 온도차가 있다. TSMC가 일본에 신설하는 공장과 투자 가능성이 거론되는 유럽 공장 모두 레거시 기술을 주로 활용하는 공장이 될 것으로 보인다. 반면 삼성전자가 신설하고 있는 텍사스주 테일러 공장은 첨단 공정 생산 라인이 깔릴 예정이다. TSMC가 레거시 공정 기반의 반도체 파운드리를 미래에도 중요한 사업으로 여기고 있는 이유는 전체 매출에서 레거시 공정이 여전히 큰 비중을 차지하기 때문이다.

그동안 TSMC가 건설한 반도체 공장 가운데 레거시 공정만 활용

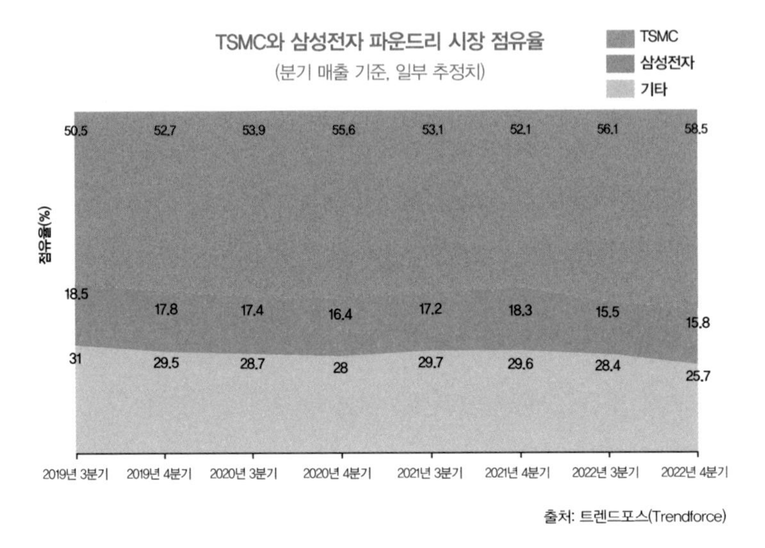

출처: 트렌드포스(Trendforce)

할 수 있는 설비가 많다는 점도 주목할 필요가 있다. 2022년 기준 TSMC 연매출 가운데 약 47%는 레거시 공정에서 발생했다. 삼성전자는 TSMC와 달리 공정별 매출을 별도로 집계해 발표하지 않지만, 〈카운터포인트리서치(Counterpoint Reaearch)〉의 분석에 따르면, 삼성전자의 레거시 반도체 매출은 2021년 기준 전 세계에서 10%의 점유율로 4위에 그쳤다. 세계 파운드리 시장에서 그리 입지가 크지 않은 대만 UMC나 중국 SMIC에도 매출 순위가 밀린다.

레거시 공정은 주로 전력 반도체와 같이 복잡한 연산을 필요로 하지 않는 분야에 쓰인다. 그만큼 단가가 저렴하고, 가전제품, 자동차 등 그 활용처가 다양하다. 기술 진입장벽 역시 상대적으로 낮다. 때문에 경쟁이 치열하다. 그럼에도 TSMC가 레거시 공정에서 독보적인 기업으로 자리 잡은 것은 압도적 생산 능력을 바탕으로 가격 경쟁력과 안정적 공급 능력을 유지할 수 있기 때문이다. 앞으로도 레거시 공정 분야에서 삼성전자가 TSMC의 점유율을 추격하기는 쉽지 않아 보인다.

반면 첨단 공정은 컴퓨터와 스마트폰용 프로세서, 그래픽장치, 인공지능 반도체는 물론 자율주행차나 군사용 무기와 같이 연산 능력이 중요한 분야에 쓰인다. 4차 산업혁명 시대가 본격화됨에 따라 첨단 반도체의 중요성은 더욱 높아질 것이다. 레거시 공정과 비교해 시장 경쟁이 낮고 수익성은 높아 새로운 성장동력으로 삼기 적합하다. TSMC와 삼성전자가 첨단 공정을 두고 더욱 치열한 기술 선두 경쟁을 펼치는 것은 이 때문이다.

이처럼 파운드리 사업 후발주자이지만 기술력에서 장점을 갖춘 삼성전자가 첨단 공정에 집중하고 있는 것은 '어쩔 수 없지만 당연한 선택'이다. TSMC보다 3나노 반도체 양산에 먼저 성공했다는 점은 이런 전략이 성과를 내고 있다는 의미이기도 하다.

세계 반도체 고객사들이 지정학적 리스크 등으로 첨단 반도체 생산과 공급을 TSMC에만 의존할 수 없다는 분위기가 확산된다면, 삼성전자에게 기회가 찾아올 수 있다. TSMC에 전적으로 의존하다가 만에 하나 중국이 대만을 침공한다면 그 후과는 말로 설명하기 힘들다. 당장 생산 라인을 멈춰야 할지 모른다. 이미 미국 정부는 이런 위험성을 상정하고 다양한 채널을 통해 대만 정부와 소통하며 국가 간 협력을 강화하려는 움직임을 보이고 있다.

첨단 미세공정은 기술 특성상 레거시 공정보다 고객사 기반이 제한적이고 투자 비용도 크기 때문에 글로벌 생산 거점 확대가 쉽지 않다. 하지만 삼성전자가 '시스템반도체 비전 2030'에서 밝혔듯이 반도체 생산 거점은 앞으로 우리나라뿐만 아니라 미국, 유럽 등 여러 나라로 넓어질 것이다. 유럽 등 다양한 지역에서 삼성전자의 투자 계획이 구체화되고 있다는 소식이 들려올 날이 멀지 않았다.

미국 반도체 지원법이 가져올 결과

"1987년 TSMC를 창업할 때부터 나는 미국에 반도체 공장을 짓겠다는 꿈이 있었다. 그러나 TSMC의 첫 시도는 꿈이 아닌 악몽에 가까웠고 이를 벗어나는 데 상당한 시간이 필요했다. 이제는 과거의 경험을 통해 충분한 준비를 갖춘 상태에서 오래전의 꿈을 되살려 실현할 수 있게 됐다."

장중머우는 2022년 12월 미국 애리조나주 반도체 공장 장비 반입식에서 마침내 자신의 꿈이 이루어지는 날이 왔다고 말했다. 장중머우가 악몽이라 표현한 TSMC의 미국 첫 공장은 27년 전 오리건주에 설립한 파운드리 공장을 이르는 것이다. 이 공장은 효율성과 비용 등 여러 측면에서 장점을 찾기 어려웠고, 결국 뼈아픈 실책으로 남았다. 이때의 실패 때문에 TSMC는 오랜 기간 대만과 중국 이외 지역에 반도체 시설 투자를 주저했다. 그러나 TSMC가 애리조나에 건설하는 새 반도체 공장은 미국 정부의 요청과 지원을 바탕으로 설립된다는 점에서 이전과 분명한 차이가 있다.

미국 반도체 지원법이 발의된 배경

현재 삼성전자와 TSMC가 각각 진행하고 있는 가장 중요한 신규 프로젝트는 미국 반도체 공장 건설이다. 두 회사의 미국 내 공장은 이미 착공에 들어갔다. TSMC는 삼성보다 한발 앞선 2021년 6월부터 투자를 시작해 이미 공장의 외관 공사를 마쳤고, 생산 장비를 반입하고 있다. 2024년부터 생산 라인을 가동할 계획인데, 처음 계획한 투자 규모는 120억 달러였지만 지금은 이보다 3배 이상 늘어난 400억 달러가 투입될 예정이다.

삼성전자가 세울 공장은 기존에 운영하던 오스틴 공장에서 56km 남짓 떨어진 테일러시에 위치한다. 구체적 착공 시점은 발표되지 않았지만 현지 언론의 보도에 따르면 2022년 6월 전후에 부지를 다지고 외부 골조를 세우는 기초공사 작업이 시작됐다. 계획되어 있는 투자 규모는 170억 달러, 목표 가동 시점은 2024년 연말이다.

바이든 행정부는 2019년 출범 직후부터 반도체를 비롯한 기본 산업 인프라 구축이 시급하다는 판단을 내렸다. 다양한 산업 영역에서 반도체의 중요성이 높아지고 있음에도 상당수 미국 기업은 물론 국방부와 같은 정부 기관마저 반도체를 해외 수입에 의존하고 있었기 때문이다.

2021년부터 본격화된 글로벌 반도체 공급부족 사태로 테슬라(Tesla)를 비롯한 자동차 기업과 유수 전자제품 제조사는 상품 생산에 어려움을 겪었다. 이때부터 미국 정치권은 미국에 반도체 공급망을 구축해야 한다는 목소리에 힘을 실었다.

미국과 같은 강대국이 해외에서 반도체 물량을 안정적으로 확보하지 못해 손해를 본다는 것은 초강대국으로서 자존심이 허락하기 어려운 일이기도 했다. 이에 따라 미국 정부는 자국 영토에 반도체 생산 공장을 건설하도록 TSMC와 삼성전자를 적극적으로 유도, 압박했다.

미국이 자국에 반도체 제조업을 육성해야 하는 또 다른 이유는 중국과 글로벌 패권 경쟁 때문이다. 특히 핵심 반도체 공급국 가운데 한 곳인 대만은 상시적으로 중국의 침공 가능성에서 자유롭지 못한 국가다. 중국이 대만을 완전히 지배하는 상황을 가정한다면 대만에서 생산되는 반도체를 미국에서 사들이는 것이 사실상 불가능해질 수 있다. 무력 충돌이 발생하거나 대만 정부가 중국에 저항

하는 과정에서 TSMC의 대만 반도체 공장 가동이 어려워질 가능성도 염두에 두어야 한다. 삼성전자와 SK하이닉스 등 우리나라의 반도체 공장도 중국과 지리적으로 매우 가깝다는 점을 생각한다면, 미국 입장에서는 지정학적 리스크가 반도체 수급에 미칠 영향을 무시할 수 없다.

바이든 정부는 이를 해결하기 위해 2022년 8월 9일 대통령 서명으로 효력이 발생한 반도체 과학법(CHIPS and Science Act), 이른바 반도체 지원법으로 불리는 법안을 내놓았다. 이 법안은 반도체 생산 공장이나 연구개발 시설을 미국에 건설하는 기업에게 520억 달러의 지원금을 제공하고 추가로 세금 감면 혜택을 부여한다는 내용을 담고 있다. 실질적으로 반도체 기업들이 받게 될 인센티브가 최소 760억 달러에 이를 것이라는 추정도 있다. 한국 돈으로 100조 원에 가까운 예산이 미국 반도체 산업 재건을 위한 비용으로 사용되는 셈이다.

해당 법안이 시행되기 위해서는 미국 의회 상원과 하원의 동의를 모두 받아야 하는데, 이를 두고 야당인 공화당 측의 반대와 부정적 여론이 강력하게 이어졌다. 이 때문에 법안이 통과되는 데는 1년 이상 조정 기간이 필요했다. 매년 막대한 매출과 이익을 내는 반도체 기업에 미국 국민들의 돈으로 지원금을 제공하는 것은 부당하다는 의견과, 반도체 기업들도 지정학적 리스크 등을 고려한다면 어차피 미국에 공장을 건설할 수밖에 없기 때문에 지원이 필요 없다는 목소리가 힘을 얻기도 했다. 하지만 바이든 정부는 미국 내 반도체 공급망 구축이 매우 다급하다고 보고 여당인 민주당과 힘을 합쳐 적극적으로 설득에 나선 끝에 기어이 반도체 지원법을 시행 단계에 올려놓았다.

TSMC의 미국 투자 막전막후

TSMC는 미국 반도체 지원법 통과 여부가 불확실하던 시점에도 과감히 애리조나 공장 투자를 결정했다. 공식적으로 확인할 수는 없으나 미국 정부와 상당한 교감 끝에 이뤄진 투자라는 관측이 지배적이다.

그동안 TSMC는 경제적 이유 때문에 미국 반도체 공장 투자에 매우 부정적이었다. 대만이나 중국은 인건비와 세금 등 반도체 공장 운영에 필요한 비용이 미국보다 현저히 낮으며 정부 차원의 적극적 지원도 있었기 때문이다. 또한 TSMC의 기술 인력 대부분이 대만인이므로 언어와 문화 등 측면에서도 중국권 이외 지역으로 생산 거점을 넓히기는 불리한 점이 많았다.

이런 장벽을 뚫고 바이든 정부가 TSMC의 현지 공장 투자 유치에 성공한 것은 정부 지원금과 세제 혜택 등으로 여러 측면의 단점을 상쇄할 수 있으리라는 점을 설득했기 때문일 것이다.

삼성전자의 미국 반도체 공장 투자 계획은 바이든 정부의 반도체 지원법 시행 가능성이 가장 활발하게 논의되고 있던 시점에 발표됐다. 공장 착공은 법안이 통과되기 전에 시작된 것으로 보인다. 미국 정부에서 충분한 지원을 받을 수 있을 것이라는 확신이 어느 정도 가능했던 시점이었다.

새로 건설하는 반도체 공장이 삼성전자의 첫 미국 내 파운드리 공장이 아니라는 점도 추가 투자에 부담을 덜 수 있었던 요인이다. 텍사스주 오스틴시에 위치한 삼성전자 반도체 공장은 1998년부터 D램과 낸드플래시 등 메모리반도체를 생산하다가 2010년부터 시스템반도체를 생산하고 있다.

2017년부터는 완전히 파운드리 공장으로 전환해 반도체 위탁생산을 하고 있다. 텍사스주 당국과 긴밀한 관계를 맺고 있으며 반도체 공장 가동을 위한 인프라 및 공급망도 갖추고 있어 TSMC와 비교하면 미국 내 신규 공장 투자에 확실한 이점을 갖추고 있다고 볼 수 있다.

이처럼 삼성전자와 TSMC의 미국 공장 투자는 모두 바이든 정부의 전폭적 지지를 받고 있다. 투자 규모 또한 상당하다는 점에서 두 기업 모두에게 중요한 성장 기회다. 미국 내 대형 반도체 고객사들의 수요 전망을 고려한다면 수혜 가능성은 더욱 확실해 보인다.

그러나 두 회사의 반도체 공장 투자는 분명 성공 혹은 실패로 나뉠 것이고, 이 결과는 앞으로 파운드리 업계의 변곡점이 될 것이다. TSMC는 2022년 12월 애리조나 공장에 반도체 생산 장비를 반입하는 기념식을 개최하면서 바이든 대통령을 초청했다. 이 자리에는 지나 러몬도(Gina Raimondo) 미국 상무장관을 비롯한 정부 관계자들도 참석해 반도체 지원법 시행에 따른 투자 유치 성과를 강조했다. TSMC가 미국 정부의 적극적 도움을 받을 것이라는 점을 대외적으로 공언한 것이다. 미 상무부는 2023년 반도체 지원법 시행에 따른 대상 기업을 선정하는 작업을 시작했는데, 이에 앞서 미국 대통령이 직접 TSMC 공장을 찾아 경영진을 만났다는 점은 시사하는 바가 크다.

미국 정부를 향한 TSMC의 '깜짝 선물'도 이 자리에서 발표됐다. 투자 규모를 기존의 120억 달러에서 400억 달러로 늘리는 한편, 계획에 없던 3나노 첨단 미세공정 파운드리 생산 라인을 미국에 설립하기로 했다는 내용이다.

미국 정부와 TSMC의 관계를 고려하면 이런 결정은 사전에 조율되었을 가능성이 크다. TSMC 입장에서는 막대한 비용이 드는 반도체 공장 투자에서 지원금 및 세제 혜택을 받아 비용 절감을 할 기회를 얻었고, 이를 통해 미국 내 주요 고객사들에게 공급을 확대할 수 있는 계기를 확보했다. 미국 정부의 지원 결정은 아직 지켜봐야겠지만 삼성전자는 투자 규모가 TSMC보다 적고 4나노 미세공정보다 발전한 기술을 도입할지도 확정하지 않았다는 점에서 수혜 가능성이 비교적 불투명하다.

삼성전자의 추격전

물론 삼성전자가 TSMC보다 더 공격적으로 미국 내 반도체 공장 증설에 나설 가능성도 있다. 아니, 그 가능성은 상당히 높다. 이를 예측할 수 있는 중요한 단서는 삼성전자가 세금 감면 혜택을 받기 위해 2022년 6월 텍사스주 당국에 제출한 신청서에서 확인할 수 있다.

해당 문서에는 삼성전자가 텍사스주에 최소 1,676억 달러를 들여 2034년부터 2042년까지 매년 한 곳의 반도체 공장 가동을 하겠다는 내용이 포함되어 있다. 현재 가동되거나 건설 중인 2곳의 반도체 공장 이외에 최소 9곳의 반도체 공장을 더 신설한다는 계획이다.

삼성전자가 텍사스주에 이런 내용의 신청서를 제출한 이유는 2022년 안에 심사를 마무리한 투자 계획까지만 세금 감면 혜택이 적용되기 때문이다. 물론 이는 중장기적으로 집행할 수 있는 투자 가능성을 최대한 낙관적으로 제시한 것이고, 반드시 계획에 따라 실제로 투자를 진행해야 할 의무는 없다.

그러나 미국 정부가 TSMC의 반도체 공장 투자 유치에 강력한 의지를 보여왔다는 점을 고려한다면 삼성전자도 계획을 실행에 옮길 가능성이 충분하다. 2023년 현재 건설되고 있는 테일러 파운드리 공장의 초반 성과가 좋거나 미국 내 고객사들의 잠재적 수요가 커진다면 삼성전자는 좀 더 자신감 있게 추가 투자에 나설 것으로 보인다. 물론 비용 부담을 덜 수 있는 미국 정부의 보조금 등 인센티브 적용 규모가 중요한 변수로 작용할 것이다. 공장 투자에 필요한 전력 등 인프라와 기술 전문 인력 충원 가능성도 종합적으로 고려해야 한다.

삼성전자와 TSMC의 미국 반도체 공장 투자는 미국의 정치적 상황과 세계 반도체 시장의 판도 변화 등에 맞물려 더욱 주목받고 있다. 하지만 현재로서는 두 회사의 투자 확대 결정이 어떤 결과를 가져올지 섣불리 판단할 수 없다. 글로벌 반도체 생산 거점 다변화 추세와 바이든 정부의 강력한 반도체 지원법 추진 의지가 맞물린다면 두 기업 모두에게 중요한 성장 계기가 될 것은 분명하다.

비관적인 전망도 있다. 이번 투자가 대만이나 한국에서 공장을 운영하는 것과 비교해 비용 부담만 키우는 전략적 실책이라는 평가가 그것이다. 다만 TSMC는 대만의 지정학적 리스크에 대응할 방법을 찾기 위해서라도 미국 생산 투자가 필수적이다.

칩 워,
두 마리 고래 사이에서

"세계화와 자유무역의 시대는 이제 거의 죽었다고 해도 과언이 아니다. 많은 사람들은 이런 시대가 돌아오기를 원하고 있겠지만, 그렇게 보이지 않는다. (TSMC 창업 뒤) 27년이 흐르며 전 세계 반도체 산업에 많은 변화가 일어났고 지정학적 상황도 이전과 크게 달라졌다."

앞서 소개한 애리조나 반도체 공장 장비 반입식에서 장중머우는 다소 충격적 발언을 내놓았다. 이는 바이든 대통령을 비롯한 미국 정부 고위관계자가 대거 참석한 행사에서 내놓은 말이라는 점에서 더욱 주목받았다.

미국의 탈세계화 흐름은 도널드 트럼프 대통령 취임을 계기로 본격화됐다. 트럼프 정부는 미국 제조업 부활을 목표로 한 리쇼어링(reshoring, 제조업의 본국 회귀) 정책을 앞세워 미국 기업들의 현지 공장 설립을 강력하게 요구했다. 미국을 주요 시장으로 삼고 있는 해외 기업들에도 미국 내 투자를 압박했다. 삼성전자와 LG전자는 결국 트럼프 정부 기조에 맞춰 미국에 가전제품 등을 생산하는 공장을 신설하기로 결정했다. 이 기조는 정권이 바뀐 후 더욱 강화됐다. 미국의 반도체와 전기차 등 첨단 산업을 육성하는 정책, 중국을 글로벌 제조업 공급망에서 고립시키려는 정책 등이 순차적으로 시행되면서 탈세계화 흐름에 더욱 속도가 붙고 있다.

'민주주의 반도체'의 핵심 플레이어 '칩4 동맹'

장중머우는 이런 흐름을 다소 거칠게 표현했지만, 그가 세계화 및 자유무역 시대의 종말을 선언한 것은 미국 정부를 비판하려는 의도라기보다는 TSMC의 미국 반도체 공장 투자에 당위성을 부여하기 위해서라고 봐야 한다. 또한 TSMC가 대만에 있는 공장에서 대부분의 반도체를 생산해 전 세계에 공급하는 지금의 사업 구조를 유지하기는 어려울 것이라는 의미이기도 하다. 이는 미국의 높은 인건비와 세금, 공장 운영비 등을 감수하고서라도 반도체 생산 거점을 확대하는 것이 시대의 흐름이라는 뜻도 담고 있다.

대만은 미국과 중국의 글로벌 패권 다툼 한가운데 놓여 다소 복잡한 상황에 처해 있다. 중국은 시진핑 정권 아래 '하나의 중국' 원칙을 더욱 강력히 앞세우며 대만의 영토 주도권을 확보하겠다는 의지를 피력하고 있다. 여기에는 반도체 기술 확보라는 숨겨진 목적도 있다.

반도체 기술은 주요 산업은 물론 군사무기 분야에서도 핵심 중 핵심이다. 자연히 반도체 강국인 대만의 입지가 그만큼 중요해졌다. 대만과 동맹 관계를 재확인하려는 미국 정부의 움직임에는 이와 같은 이유가 깔려 있다. 미국은 첨단 반도체 공급을 사실상 대만에 의존하고 있기 때문에 중국이 대만에 영향력을 확대하는 것에 매우 민감하게 반응한다. 중국은 이런 미국의 행보에 반발하면서 대만에 대한 압박의 강도를 더욱 높이고 있다. 대만은 결국 시한폭탄과 같은 지정학적 리스크의 중심에 놓여 있는 셈이다.

TSMC는 대만 정부의 입장을 따라 미국과 더 적극적으로 손을 잡는 쪽을 선택했다. 애리조나주 공장 건설은 생산 투자를 넘어 향후 대만의 정치적 방향성을 보여준다. 미국과 대만은 '민주주의 반도체' 생산에 손을 잡겠다는 상징적 발언도 내놓았다. 2022년 9월 차이잉원(蔡英文, Tsai Ing wen) 대만 총통과 애리조나주의 더그 듀시(Doug Ducey) 주지사가 회담을 진행하는 자리에서 TSMC의 공장 투자를 언급하며 "미국에서 민주주의 반도체 생산을 기대하고 있다"고 밝힌 것이다. 사회주의로 대표되는 중국에 대만 반도체 산업의 주도권이 넘어가는 일은 없을 것이라는 점을 재확인했다고 볼 수 있다.

미국 정부는 한발 더 나아가 대만과 한국, 일본을 포함하는 반도체 연합인 이른바 '칩(Chip)4 동맹' 구축을 추진하는 한편, 반도체 지원법과 관련해 대만 정부와 논의하는 등 다양한 경로를 통해 대만과 관계를 더욱 강화하고 있다.

TSMC냐, USMC냐

다만 TSMC는 여전히 중국의 눈치를 살필 수밖에 없다. 여러 곳의 반도체 공장이 중국에 있으며 중국 기업들이 매출에 큰 비중을 차지하고 있기 때문이다. 2020년 기준으로 중국 기업은 TSMC 연 매출의 20% 가까이를 책임졌다. 중국도 TSMC에 고성능 반도체 생산을 맡기지 못한다면 대안을 찾기 어렵다. 따라서 대만이 미국과 협력 관계를 강화하고 있는 상황을 중국 정부가 가만히 지켜보고만 있을 가능성은 적다. 장중머우가 이런 민감한 시점에서 세계화 및 자유무역이 죽었다고 언급한 것은 TSMC의 위기의식을 단적으로 보여준다.

TSMC는 국제 정세 불안에 따른 고민에 더해 대만 국내의 정치적 갈등 상황에도 대응해야 한다. 미국에 대규모 투자 결정을 두고 대만 정치권에서 자국 산업을 지켜야 한다는 반대 목소리가 커지면서 이를 민감하게 의식할 수밖에 없는 처지다.

당장 TSMC가 미국에 400억 달러를 투자한다는 발표가 나오자 대만 제1야당이자 친중국 성향인 국민당은 대만이 TSMC를 미국에 '선물로 바치고 있다'며 강력히 비판했다. 대만에 대형 반도체 공장을 지어 경제 성장에 기여할 수 있는 기회를 빼앗길 뿐만 아니라 국가 핵심 경쟁력인 반도체 기술이 미국에 넘어갈 수 있다는 우려도 나오고 있다. 인텔이 TSMC와 마찬가지로 애리조나주에 반도체 생산 공장을 증설하고 있는데, 기술 유출 위험이 크다는 것이다. TSMC의 이름이 'USMC'로 바뀌어버릴 것이라는 자조 섞인 이야기도 나오고 있다. 회사 이름의 앞 글자가 대만(Taiwan)이 아닌 미국(U.S.)으로 바뀌는, 사실상 대만보다 미국을 위한 기업이 되어버리는 게 아니냐는 반발이 담긴 표현이다.

그러자 TSMC는 곧바로 대만에 600억 달러에 이르는 첨단 반도체 생산 투자와 연구개발센터 설립 계획을 발표했다. 미국에 들이는 것보다 더 많은 금액을 대만에 쓰겠다고 약속하고, 앞으로 개발하는 차세대 2나노 미세공정 반도체 투자는 반드시 대만에 집행하겠다는 방침도 제시했다.

이처럼 대만 정치권이 TSMC에 대해 민감한 시선을 보내는 이유는 국가의 '실리콘 방패'를 지키기 위해서다. 이는 실리콘이 반도체 핵심 재료라는 점에 착안한 단어로, 대만이 국가 안보를 지키는 데 반도체의 역할이 매우 중요하다는 점을 강조한 표현이다.

만약 중국이 대만을 침공하는 사태가 벌어진다면 TSMC를 비롯한 대만 내 반도체 생산 시설에 피해가 발생할 수 있다. 이렇게 되면 중국 역시 반도체 수급에 어려움을 겪게 된다. 그런데 TSMC가 미국에 핵심 연구 시설과 반도체 생산 설비를 구축한다면 그만큼 대만 스스로를 지킬수 있는 외교 카드가 약해질 수밖에 없다. 미국이 지금과 같이 대만을 적극적으로 수호해야 할 이유 역시 줄어든다. 때문에 국가 차원에서 TSMC는 대만에서 계속 중요한 입지를 차지하고 있어야 한다.

딜레마

TSMC가 국내외 다양한 정치적 파도에 영향을 받는 것은 삼성전자에 이익이 될 수 있는 조건이다. 삼성전자는 TSMC에 비해 정치적 안배를 위해 불필요한 투자를 할 필요가 적다. 하지만 이 가정은 파운드리 사업에 국한된 것이고, 삼성전자 역시 미중 갈등 사이에서 자유롭지 않다.

삼성전자의 중국 리스크 역시 커지고 있다. 특히 중국에 운영 중인 낸드플래시 메모리반도체 생산 공장이 문제다. 미국은 중국을 세계 반도체 공급망에서 고립시키는 조치를 연달아 취하고 있다. 여기에는 삼성전자의 중국 생산 투자를 제한하는 규제 조치도 있다. 삼성전자 입장에서는 반도체 최대 수출국인 중국에서 사업이 어려워지는 것은 향후 실적 전망을 어둡게 하는 요인일 수밖에 없다. 세계 파운드리 사업에서 삼성전자의 영향력이 높아질수록 TSMC처럼 미국 정부의 간섭을 받을 여지가 커질 것이다.

삼성전자는 2023년 현재 새로 짓고 있는 미국 반도체 공장에 어느 정도 수준의 미세공정 기술을 도입할지 확정하지 않았다. 그러나 미국 정부가 TSMC에 했던 것처럼 3나노 이하의 첨단 반도체 생산 라인을 구축해야 한다고 요구한다면 이를 거부하기는 쉽지 않다. 그러면 우리나라에서도 삼성전자의 기술과 인재 유출 가능성을 비판하는 여론이 힘을 얻게 될 것이고, TSMC가 겪었던 상황이 재현될 수 있다.

장중머우의 발언은 삼성전자도 중요한 교훈으로 삼아야 한다. 너무 늦기 전에 중장기 대응 전략을 수립하고 시행해야 한다. 이런 움직임이 너무 늦어진다면 지정학적 리스크 등 여러 변수가 현실로

닥쳤을 때 타격을 피하기 어렵다.

삼성전자와 TSMC의 반도체 경쟁은 더 이상 사업 경쟁력만으로 승부를 가르기 어려운 게임이다. 사업 외적인 요소들이 시장을 규정할 가능성이 갈수록 커지고 있다. 앞으로 제품이나 기술 경쟁력보다 얽히고설킨 국제 정치에 얼마나 효과적으로 대응하느냐가 중요한 관전 포인트가 될 것이다.

린치핀이 되기 위한 삼성전자의 미래 전략

성신정직(誠信正直), 승낙(承諾), 객호신임(客戶信任).

한국식으로 읽으면 다소 어색한 이 단어들은 각각 '진실성', '헌신', '고객의 신뢰'라는 뜻이다. TSMC가 설립 당시부터 내세운 핵심 가치다. TSMC는 기업 철학을 설명하는 문서에서 경쟁사와 정당하게 맞서며 부도덕한 행위를 금지하고, 사회를 위해 최선의 결과를 창출하는 데 힘쓰며, 고객의 신뢰를 얻고 이를 지켜내기 위해 모든 역량을 쏟겠다고 선언했다. 다양한 고객사의 반도체를 위탁생산하는 TSMC의 사업 특성을 고려한 기업 철학이라 하겠다.

치열한 기술 경쟁을 벌이는 반도체 설계 기업들은 경쟁업체에 기술이 유출되거나 정보가 새어 나가는 일에 매우 민감하다. 따라서 고객사로부터 주문을 받아 반도체를 생산하는 파운드리 입장에서는 고객의 기업 비밀을 철저하게 지키고 고객사를 안심시킬 의무가 있다. 이런 맥락에서 TSMC는 반세기 가까이 뛰어난 관리 능력을 보여왔다.

TSMC는 자체적으로 반도체를 개발하거나 설계하지 않는다. 대신 고객사의 반도체 성능 개선을 구현할 수 있는 미세공정 기술과 반도체 조립 기술 등을 확보하는 데 집중하고 있다. 만약 TSMC가 기술 보안 등 측면에서 신뢰하기 어려운 기업이라면 고객사와 장기간 협력 관계를 유지하기란 불가능했을 것이다. 「이코노미스트(The Economist)」는 TSMC가 애플의 반도체 위탁생산을 수주한 비결이 철저한 기술 보안 덕분이라는 분석을 내놓기도 했다.

내 것 네 것 다 만드는 회사의 딜레마

삼성전자는 태생적으로 TSMC와 상황이 다르다. 삼성전자는 종합 반도체 회사를 의미하는 IDM(Integrated Device Manufacturer)으로 분류된다. 반도체를 직접 개발하고, 생산하며, 판매하는 기업이라는 뜻이다. 인텔, SK하이닉스 역시 IDM에 해당한다.

IDM은 결국에는 고객과 경쟁 관계에 설 수밖에 없다. 파운드리 고객사 입장에서 삼성전자에 반도체 생산을 맡기는 것은 그 자체로 잠재적 리스크를 지는 것과 같다. 이를테면 스마트폰에 사용되는 프로세서를 설계하는 퀄컴은 삼성전자의 최대 경쟁사다. 삼성전자는 갤럭시 스마트폰에 쓰이는 프로세서를 직접 설계해 생산하는데, 퀄컴 입장에서 삼성전자의 경쟁 제품을 삼성전자에 생산해달라고 맡기는 결정을 쉽게 내릴 수 있을까?

그러나 퀄컴은 이런 결정을 내렸고, 삼성전자의 주요 파운드리 고객사가 됐다. 기술 유출 가능성이나 직접적 경쟁에 대해 삼성과 어느 정도 합의를 본 것으로 보인다. 하지만 여전히 다수의 고객사들은 삼성전자에 생산을 맡기기까지 고민을 할 수밖에 없다. 기술 유출 문제 외에도, 고객사가 파운드리 비용으로 지불하는 금액은 삼성전자의 연구개발 예산 등으로 활용될 수 있다. 결과적으로 '경쟁사를 돕는' 모양새인 것이다.

애플이 과거 삼성전자에 아이폰의 프로세서 생산을 맡겼지만 지금은 TSMC와만 거래하는 것은 이런 경쟁 구도를 의식한 것이라고 볼 수 있다. 일반적으로 다수의 부품 협력사를 두고 가격 협상을 통해 유리한 위치를 차지하려 하는 애플의 특성상 이는 매우 이례적인 선택이었다. 그만큼 삼성전자 같은 IDM은 파운드리 사업 경쟁에서는 불리한 위치에 서 있는 것이다.

그렇다고 삼성전자가 반도체 설계 사업 또는 파운드리 사업 가운데 하나를 포기할 수는 없다. 반도체 설계 기술력을 보유하는 것은 미래 사업 확장과 국가 경쟁력 측면에서 매우 중요하다. 파운드리 사업 또한 삼성전자의 미래 핵심 성장동력인 만큼 포기할 수 없다. 결국 두 사업을 모두 효과적으로 영위할 수 있는 묘안을 찾아내는 것이 삼성의 중장기 과제일 것이다.

삼성의 파운드리 사업 분사는 답이 될까

이런 딜레마를 해결할 방법으로 자주 거론되는 방안이 파운드리를 별도의 회사로 분사하는 전략이다. 현재 파운드리 사업부는 반도체 등 부품 사업을 담당하는 DS부문 아래 사업부 형태로 있다. 반도체 설계 사업을 책임지는 시스템LSI 사업부와 같은 사업부문에 있는 것이다. 고객사 입장에서는 썩 반갑지 않은 구조다.

만약 파운드리가 별도의 회사로 완전히 분리된다면 어떨까? 고객과 경쟁하지 않고 위탁생산에만 주력하는 TSMC와 동일한 사업 구조를 갖추게 되는 만큼 신뢰를 얻을 수 있다.

파운드리 사업에 재진출을 앞두고 있는 인텔 역시 삼성전자와 같은 고민을 안고 있다. 앞에서 언급했듯이 인텔도 IDM이다. 더구나 시스템반도체 설계 부분에서 1위 기업이다. 따라서 인텔은 잠재적 고객이자 경쟁자인 기업들이 강력하게 견제해야 하는 존재다.

그럼에도 인텔의 반도체 파운드리 사업은 IFS(Intel Foundry Service, 인텔 파운드리 서비스)라는 이름으로 별도의 CEO를 두고 있지만, 어디까지나 '사업 유닛'의 형태를 띠고 있다. 독립된 법인이 아니다.

삼성전자와 인텔이 파운드리 경쟁력 확보에 걸림돌이 될 것을 알면서도 현재의 사업 구조를 유지하고 있는 이유는 간단하다. 돈 때문이다.

파운드리 사업을 별도의 회사로 분리하기 위해서는 자체적으로 사업을 운영할 수 있는 안정적 재무구조를 확보해야 한다. 그러나 공장 한 곳을 짓는 데만 수십조 원이 드는 파운드리 사업 특성상 이는 그리 간단한 문제가 아니다. 파운드리 시장 후발주자가 자체 투자 여력을 유지할 만한 충분한 현금흐름을 확보하려면 대규모 수주를 통해 꾸준히 이익을 발생시켜야 한다. 말 그대로 쉽지 않은 일이다.

TSMC는 설립 초기부터 대만 정부의 강력한 지원과 외부 투자자의 도움에 힘입어 생산 거점을 확대할 수 있었다. 또한 당시는 반도체 기술 수준이 낮아서 생산 공장 설치에 들어가는 비용이 지금과 비교하면 상대적으로 낮았다. 하지만 오늘날 시장에서 경쟁력을 확보할 만큼의 기술력과 생산 설비를 구축하려면 다른 사업에서 발생하는 이익의 상당수를 파운드리에 재투자해야 한다. 따라서 삼성전자나 인텔이 파운드리를 사업부 형태로 운영하는 구조는 당분간 유지될 공산이 크다.

물론 파운드리 투자에 필요한 재원을 다른 형태로 조달하는 방안도 있다. 삼성전자가 파운드리 사업을 분사하는 동시에 주식시장에 상장하는 그림이 그것이다. 이 경우 단기간에 자본을 확충해 투자 여력을 확보할 수 있다. 이미 국내외 여러 증권사에서 삼성전자 파운드리 사업의 나스닥 상장 가능성을 예상하기도 했다. 파운드리는 중장기 성장 전망이 밝은 분야인 만큼 분사 뒤 기업공개를 추진한다는 시나리오는 실현 가능성이 높다.

하지만 삼성전자는 이런 시나리오에 소극적이다. 핵심 성장동력으로 앞세우고 있는 파운드리 사업을 별도 회사로 상장한다면 삼성전자의 기업가치에 부정적 영향을 미치게 된다. 또한 삼성전자는 그동안 여러 신사업을 육성해왔지만 한번도 이런 방식으로 외부 투자금을 받은 적이 없다.

삼성전자의 반도체 설계 사업에 파운드리 사업부가 매우 중요한 파트너라는 점 역시 분사 결정을 어렵게 만드는 배경이다. 삼성전자의 자체 개발 반도체가 시장에서 경쟁력을 확보하려면 파운드리 사업부와 긴밀한 협업을 통해 첨단 미세공정을 적극적으로 활용해야 하기 때문이다.

여러 약점과 제약에도 삼성전자의 파운드리 사업 매출이 빠르게,

그리고 꾸준하게 증가하고 있는 것은 삼성전자에 고무적인 일이다. 늘 TSMC라는 거대한 경쟁사와 비교되면서 삼성전자의 성과는 과소평가되는 경향이 있다. 하지만 삼성전자의 파운드리 사업은 최근 연이어 역대 최대 매출을 달성하며 빠르게 성장하고 있다.

삼성전자는 2022년 3분기 컨퍼런스콜에서 "2025년이면 파운드리 사업부가 자체적으로 투자 재원을 마련할 수 있을 정도의 수익성을 확보하는 것이 목표다"라고 밝혔다. 파운드리 분사 가능성은 삼성전자가 이런 목표를 적기에 달성할 수 있는지에 달려 있을 것으로 보인다.

종합 반도체 기업만이 쓸 수 있는 카드

삼성전자가 파운드리 사업을 분리하는 대신 지금과 같은 종합 반도체 기업으로 계속 남는 선택을 할 수도 있다. 현재의 사업 구조에서는 반도체 설계 기술이 부족한 고객사에 삼성전자의 기술을 지원해주는 방식이 더 폭넓은 사업 기회를 창출하는 데 유리하기 때문이다. 최근 반도체 설계에 경험이 많지 않은 기존 IT업체나 신생기업도 서버용 인공지능 반도체 등을 자체적으로 개발해 상용화하는 사례가 늘고 있다. 이런 니즈에 발맞춰 삼성전자가 자사의 반도체 설계 기술과 노하우, 지식재산(IP)을 공유하고 대신 생산을 담당한다면 윈윈(win-win) 효과를 노릴 수 있다.

실제로 삼성전자는 SAFE(Samsung Advanced Foundry Ecosystem)라는 프로그램을 통해 고객사의 반도체 설계를 지원하고 생산까지 책임지는 사업을 운영하고 있다. 초반에는 주로 중소형 반도체 설계 기업을 지원하는 상생 차원의 사업으로 진행됐지만 지금은 고성능 반도체 분야까지 지원을 확대하고 있다.

TSMC가 보유한 지식재산은 삼성전자보다 많지만 반도체를 직접 설계하지 않는 파운드리 업체 특성상 삼성에 비해 제공할 수 있는 기술 범위는 한정적이다. 반면 삼성전자는 시스템반도체 설계 분야에서 꾸준한 연구개발을 통해 자체 지식재산의 경쟁력을 높여가며 협력사를 더 적극적으로 지원할 수 있는 기반을 이미 갖춰놓았다.

결국 삼성전자가 가진 IDM 정체성은 잘만 활용하면 고객과 더 긴밀하게 협업해 수요에 대응할 수 있는 차별화된 역량으로 자리하게 되어 약점이 아니라 강점이 될 수 있을 것이다.

마지막 진검승부

"글로벌 시장에서 TSMC에 이어 2위 업체로 자리 잡겠다."

2017년 삼성전자가 파운드리 사업부를 출범하며 제시한 목표다.

그리고 약 1년 반이 흐른 2018년, 삼성전자는 연간 파운드리 시장 점유율 2위에 올랐다. 2017년 기준 약 8%로 세계 4위권에 머무르던 매출 점유율이 파운드리 사업부 출범 뒤 2배 가깝게 뛰어오르면서 주목할 만한 성과를 올린 것이다. 그러나 그 이후로는 시장 점유율을 높이지 못하고 있다. TSMC라는 거성을 무너뜨리는 것이 생각보다 쉽지 않아 보인다.

삼성전자는 D램 시장에서 30년 넘게 1위를, 낸드플래시 시장에서 20년 가까이 1위를 차지하고 있는 절대강자다. 반면 파운드리 분야에서는 TSMC가 절대강자의 위치에 있다. 반도체 시장에서 1위 기업은 막강한 기술 경쟁력과 가격 결정권을 쥐고 경쟁사에 지속적으로 우위를 유지할 수 있다. 누구보다 이 점을 잘 알고 있는 삼성전자가 선두 기업이 전체 시장의 절반에 가까운 점유율을 확보한, 한눈에 봐도 멀고 험한 싸움이 예상되는 시장에 진출을 결정한 것이다. 그럼에도 2030년까지 1위 달성이라는 새로운 로드맵을 세운 자신감의 근거는 무엇일까?

초격차 전략을 꺼내들다

삼성전자가 걸어온 길을 돌아보면, 파운드리 분야는 삼성이 그간 성공해왔던 전략을 쓰기에 적합한 사업이다. 삼성은 핵심 신사업에 역량을 집중하는 초격차 전략을 구사해왔다. 삼성이 이 전략을 통해 업계 1위를 물리치고 세계 최고로 거듭난 사례는 적지 않다.

메모리반도체는 물론 LCD와 OLED 등 디스플레이, TV 등 가전, 스마트폰 등 삼성전자의 주요 사업은 모두 이 전략을 통해 성장했다. 현재 이 전략을 가장 적극적으로 활용하는 곳이 바로 삼성바이오로직스다.

삼성은 내부적으로 파운드리 사업도 이전 사업들처럼 경쟁사를 뛰어넘는 기술력과 막강한 자금력을 동원해 육성한다면 충분히 세계 선두에 오를 수 있다고 판단하고 있다.

처음 삼성전자가 파운드리 시장에 진입 가능성을 엿본 시기는 2005년이다. 당시 파운드리는 별도 사업부 체제가 아닌 시스템 반도체 사업에 포함되어 있던 팀 단위의 작은 조직이었다. 당시 TSMC와 비교해 미세공정 기술력은 3년 가까이 뒤처져 있었다. TSMC가 20년 가까이 파운드리 사업을 운영하고 있다는 점을 고려하면 우수한 성과라 할 수 있지만, 그래도 글로벌 시장에서 승산이 있다고 판단할 수 있는 근거는 명확하지 않았다.

삼성전자가 본격적으로 파운드리 사업에 뛰어든 시기는 세계 최초로 10나노 미세공정 반도체 양산에 성공한 2016년 이후다. TSMC보다 앞서 차세대 공정 기술 상용화를 이뤄내자 사업에서 승산이 있으리라고 판단하고 과감히 진출을 결정했다. 물론 후발주자로 기술 우위를 차지하기란 쉽지 않았고, 현재도 삼성전자와 TSMC 사이에는 첨단 미세공정 개발을 두고 엎치락뒤치락하는 속도전이 벌어지고 있다. 삼성전자는 꾸준히 연구개발 투자를 확대하고 반도체 생산 물량을 늘리기 위한 공장 증설을 진행하고 있다.

따져보면 삼성전자가 파운드리 분야에서 TSMC와 진정한 경쟁 구도를 형성하게 된 지는 6년이 채 되지 않는다. TSMC의 역사가 36년에 이른다는 점을 고려하면 삼성전자의 추격은 상당히 매섭고 빠르다. 앞서 언급한 것과 같이 삼성전자를 여러 사업에서 1위로 만든 전략이 파운드리 사업에도 통한다면, 파운드리 선두 기업이 되겠다는 삼성의 목표가 꿈은 아닐 것이다.

어쩌면 독이 될지 모를 전략

물론 TSMC는 그동안 삼성전자가 상대했던 기업과는 결이 다르다. 일단 사업 규모 측면에서 과거의 경쟁사와는 차원이 다를 정도로 압도적이다. 자금 여력도 뛰어나다. 무엇보다 시장 상황이 예전과 많이 달라졌다는 점에서 삼성전자가 이전의 성장 전략을 그대로 실현할 수 있을지도 불확실하다.

과거 삼성이 경쟁사를 제치고 세계 1위에 오른 분야는 모두 '소품종 대량생산' 시대의 산물이었다. 메모리반도체나 디스플레이 패널, 스마트폰 등은 모두 기술적 완성도가 높은 제품을 개발한 뒤 대량 생산해 글로벌 시장에 공급하는 형태의 제품군이었다. 규모의 경제를 통해 가격 경쟁력을 갖춘다면 단기간에 시장에서 확실한 지배력을 차지할 수 있었다.

그러나 파운드리는 갈수록 '다품종 소량생산'의 성격을 띠는 분야로 전환하고 있다. 개별 고객사의 니즈에 맞춰 다양한 사양에 대응해야 하고, 고사양 반도체 신제품의 생산 사이클도 일반적으로 1~2년으로 짧다. 따라서 다양한 주문에 대응할 수 있는 유연성과 수요를 선제적으로 파악해 대비하는 능력을 갖춰야 한다. 이는 삼성전자보다 TSMC에 더 유리한 요소다.

글로벌 반도체 고객사와 장기간 협력을 이어온 TSMC는 자연히 이들과 더 활발하게 소통하며 수요를 사전에 파악할 수 있다. 그리고 이 정보를 새 공정기술 도입 및 생산시설 구축 시기를 결정하는 데 참고한다. 삼성전자보다 다양한 종류의 공정을 갖추고 있으며 전체 생산 능력이 앞선다는 점도 다품종 소량생산 체제에서는 장점이다.

파운드리 회사를 찾는 고객사의 유형이 점점 다양해지고 있다는 것도 TSMC에 우호적인 환경이다. 이제는 시스템반도체 설계 전문기업뿐 아니라 구글(Google)과 알리바바(Alibaba) 등 대형 IT기업들도 자체 데이터 서버에 자신들이 직접 설계한 인공지능 반도체를 적용하는 추세다. 테슬라와 같은 자동차기업 역시 자체 반도체 설계 비중을 늘리고 있다. 가상화폐 채굴 장비를 생산하는 기업이나 엔비디아 같은 GPU 생산 기업들도 필요한 연산을 가장 효율적으로 수행할 수 있는 반도체를 자체 설계해 생산을 맡기고 있다. 지금의 삼성을 있게 만든 전략은 파운드리 경쟁에서 어쩌면 독이 될 수도 있다.

린치핀이 되기 위한 마지막 퍼즐

파운드리 사업의 성공은 삼성전자에 특별하다. 미래 성장을 주도할 동력이라는 측면에서도 의미가 있지만, 삼성전자가 전 세계 IT 산업 부품 공급망의 핵심 기업으로 입지를 다지는 마지막 퍼즐이기 때문이다.

공급망의 불확실성이 커질수록 삼성전자의 수직계열화 구조가 빛을 발한다. 삼성전자가 판매하는 대부분의 스마트폰과 TV, 가전 등 세트 상품은 핵심 부품과 완제품, 소프트웨어 등을 모두 자체적으로 개발, 생산한다. 물론 단가 등을 이유로 외부 협력사를 활용하는 사례가 있지만 완전한 밸류체인(value-chain)을 구축하고 있는 것은 삼성전자만의 차별화 요소다. 만약 시스템반도체 파운드리 분야까지 최고 기업이 된다면 전 산업 분야에서 삼성을 빼고는 사업을 할 수 없는 구조가 완성된다.

인공지능과 자율주행, 사물인터넷 등 기술을 구현하기 위한 중앙처리장치(CPU)와 통신 반도체, 신경망 처리장치(NPU) 등 시스템반도체의 성능 수준은 갈수록 높아지고 있다. 자연히 이런 반도체를 설계하고 생산하는 기업에 자본이 몰린다. 그런데 실제 상품과 서비스에 이런 기술을 적용하려면 메모리반도체와 센서, 카메라와 디스플레이 등 다양한 부품이 필요하다.

삼성전자는 시스템반도체 설계와 생산, 대부분의 핵심 부품 자체 개발과 공급, 하드웨어와 소프트웨어 관련 역량을 모두 최고 수준으로 갖고 있다는 점에서 세계 IT산업의 중심 기업으로 떠오를 잠재력이 충분하다. 사실상 모든 IT산업 분야의 고객사는 물론 소비자의 수요에 모두 대응할 수 있는 유일한 기업이 될 수 있다.

삼성전자의 파운드리 사업 도전은 TSMC를 넘어 전 세계 IT 공급망에서 가장 중요한 기업으로 등극하겠다는 더 큰 목표를 염두에 두고 봐야 한다. 물론 이를 달성하기 위해 넘어서야 할 경쟁사는 TSMC 이외에도 많다. 하지만 시스템반도체 파운드리는 현재 가장 치열한 대결이 이뤄지는 분야이고, IT기술 분야에서 큰 상징성을 갖는다는 점에서 물러설 수 없는 전장이다. 만약 삼성전자가 TSMC를 확실하게 제치고 파운드리 시장까지 리더십을 확보한다면, 삼성전자는 세계 경제의 진정한 '린치핀'이 될 것이다.

제2장

VS. 애플

프레너미,
적과의 동행

갖고 싶은 그 이름, 애플

한입 베어 먹은 은색의 사과 로고를 보면 무엇이 떠오르는가? 그렇다. 애플이다. 스마트폰 매출 점유율 부동의 1위, 전 세계 브랜드 가치 1위, 미국 나스닥 시가총액 1위, 「포춘(Fortune)」이 선정한 가장 존경받는 기업 1위 등 화려한 면면을 갖춘 기업이다. 맥북, 아이팟, 아이폰, 아이패드, 에어팟으로 이어지는 다수의 히트상품을 보유하고 있으며, 독보적인 브랜드 정체성을 무기로 글로벌 시장에서 확실한 고정 수요층을 확보하고 있다.

무엇보다 애플은 기업을 넘어 그 자체로 대체 불가능한 브랜드가 됐다. 애플의 로고는 해당 제품 사용자의 정체성을 드러내는 상징으로 통한다. 스타벅스에 노트북을 들고 들어갈 때 맥북이 아니면

문전박대를 당한다는 식의 농담은 유명한 밈(Meme)이다. 애플 소비자들이 특정한 라이프스타일이나 가치관을 가지고 있다는 사회적 시선을 반영한 표현이라 하겠다. 스마트폰을 비롯한 IT 기기와 서비스가 일상생활에 필수품으로 자리 잡으면서 자연히 어떤 기업의 상품을 이용하는지가 곧 자신을 드러내는 행위로 인식되고 있는 것이다.

수많은 브랜드 중에서 애플은 단연 강력한 팬덤을 확보한 브랜드의 대명사로 통한다. 애플이 우리나라 언론과 국민의 관심을 받는 이유는 또 있다. 바로 삼성전자의 가장 강력한 라이벌이기 때문이다. 삼성전자와 애플은 수년째 세계 스마트폰 시장 점유율 1위와 2위 자리를 두고 대결을 벌이고 있다. 두 기업의 스마트폰 판매량과 점유율 변동은 우리나라 전자부품 업계에도 큰 영향을 미친다.

애플과 삼성전자의 불꽃 튀는 경쟁과 그 의미

삼성전자와 애플의 경쟁은 우리나라에서만 관심이 있는 주제가 아니다. 「월스트리트저널(The Wall Street Journal)」과 「포브스(Forbes)」, 「뉴욕타임스(The New York Times)」 등 미국의 주요 언론들 역시 애플의 경쟁상대를 언급할 때 삼성전자를 가장 먼저 거론한다. 애플의 아이

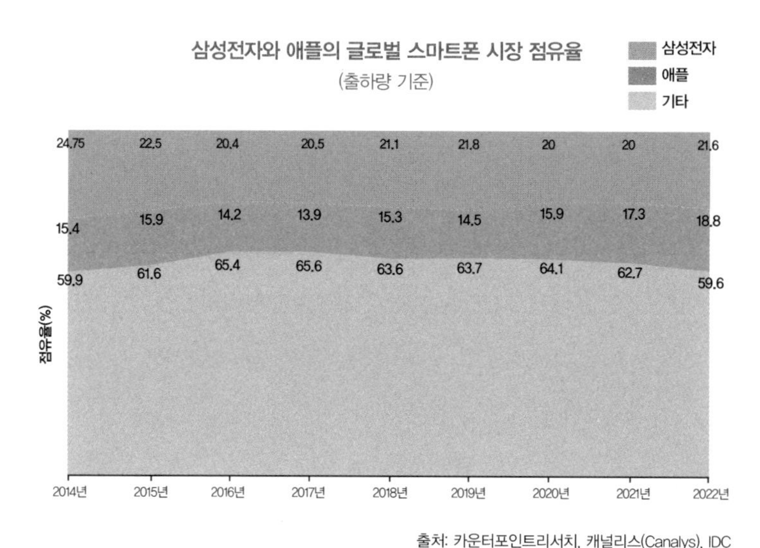

출처: 카운터포인트리서치, 캐널리스(Canalys), IDC

폰과 삼성전자의 갤럭시를 함께 언급하는 식이다.

하지만 그 속내를 찬찬히 살펴보면, 두 회사가 함께 조명되는 이유가 단순히 아이폰과 갤럭시의 경쟁 때문만은 아니다. 두 기업은 기술 혁신과 첨단 산업을 주도하는 기업으로 인정받기 위해 여러 지점에서 끊임없는 맞대결을 펼쳐왔다. 첨단기술 연구개발에 들이는 투자와 이를 통해 이뤄내는 성과, 전 세계 공급망에서 차지하는 비중 등 두 회사가 벌이고 있는 경쟁은 곧 IT 업계의 판도를 바꿔놓을 만큼 그 규모와 파급력이 크다.

재미있는 것은 삼성전자와 애플이 시장을 놓고 벌이는 경쟁에서 승리하기 위해 쓰는 전략이 미국과 한국 기업의 차이를 극명하게 보여준다는 점이다. 완전한 대척점에 서 있다고 할 수 있다.

출발점부터가 다르다. 애플은 대학교를 중퇴한 스티브 잡스(Steve Jobs)가 스티브 워즈니악(Steve Wozniak)과 함께 차고(garage)에서 설립한 것으로 유명하다. 그래서 자본은 부족하지만 우수한 아이디어와 뛰어난 기술력으로 아메리칸드림을 완성한 기업으로 상징된다. 반면 삼성은 방직업과 전자제품, 건설, 종합상사 등을 아우르는 대표적인 '재벌' 기업이다. 경영 승계와 사업 다각화라는 우리나라 대기업의 전형적인 모습을 보이고 있다.

태생이 다르다 보니 강점도 다르다. 삼성전자는 스마트폰과 가전 등 완제품에서 반도체, 디스플레이 등 부품까지, 하드웨어 생산에 강점이 있다. 반면 애플은 제품의 개발은 직접 하지만 생산은 철저히 외부 기업을 활용하며 운영체제와 플랫폼 등 소프트웨어 분야에서 뚜렷한 장점을 가지고 있다. 애플은 자체 개발한 운영체제를 자사의 컴퓨터, 스마트폰은 물론 TV(애플TV)와 자동차(카플레이) 그리고 증강현실(AR)까지 확장했다. 세계 1위라는 지향점은 같지만, 이를 향해 나아가는 방법은 완전히 다른 것이다.

여러 이유로, 삼성전자와 애플 중 어느 기업이 승리하느냐는 우리나라를 넘어 전 세계 IT 산업의 판도와 전략을 바꿔놓게 될 것임이 자명해 보인다. 이제부터 두 기업의 경쟁 구도와 앞으로의 시나리오를 살펴보자.

"스마트폰은 됐고 핫도그 빵이나 접어라"

"우리는 2,000달러에 이르는 삼성전자 갤럭시 폴드를 리뷰하려 했지만, 그럴 수 없었다. 뭔가를 접고 싶다면 색종이나 목도리, 핫도그빵 같은 걸 접어라. 절대로 (갤럭시 폴드를) 구매하지 말고 접지도 말아라."

「월스트리트저널」이 2019년 삼성전자의 첫 폴더블폰인 '갤럭시 폴드' 실물을 보고 내놓은 리뷰 영상의 결론이다. 이 매체의 IT 전문기자는 갤럭시 폴드의 화면 사이에 핫도그용 소시지를 끼워 넣는 것으로 영상을 마무리했다. 지독한 악평이었다.

문제의 원인은 갤럭시 폴드 화면에 붙어 있는 필름에 있었다. 스마트폰 제조사들은 일반적으로 새 스마트폰을 판매할 때 소비자가 쉽게 제거할 수 있는 얇은 보호 필름을 붙여둔다. 갤럭시 폴드 리뷰용 제품을 처음 받은 기자들은 화면에 붙인 필름이 당연히 보호 필름일 것이라 여기고 이를 떼어냈다. 그러나 다른 스마트폰과 달리 갤럭시 폴드 화면에 부착된 필름은 화면을 보호하는 디스플레이 구조의 일부분이었다. 이 필름을 제거하면 제품을 쓸 수 없게 된다.

「월스트리트저널」 기자뿐만 아니라 다수의 외신기자들은 삼성전자가 이런 주의사항을 사전에 안내하지 않았다고 지적했다. 이뿐만이 아니었다. 작은 충격에도 화면이 쉽게 깨지는 약한 내구성, 화면과 본체 틈새에 먼지와 같은 이물질이 들어가기 쉬운 구조적 취약점도 지적됐다.

첫 폴더블폰의 하드웨어 완성도를 두고 이처럼 집중포화가 이어진 까닭은 이전까지 존재하지 않았던 형태의 제품이었기 때문이다. 다시 말해 여러 하드웨어적 요소에 대해 충분한 설명과 검증이 이뤄지지 않았다는 것이 비판의 핵심이었다.

삼성전자는 결국 이런 문제들을 해결하기 위해 갤럭시 폴드의 글로벌 출시를 수개월 미루기로 결정했다. 2016년에 벌어졌던 갤럭시노트7 대규모 리콜 같은 사태를 다시 겪었다가는 '품질의 삼성'이라는 이름에 씻을 수 없는 오명이 새겨질 것이었기 때문이다.

그래도 삼성은 삼성의 길을 간다

당시 삼성전자와 계열사, 관련 부품 업체들은 폴더블폰의 대량 생산 체계를 구축하기 위해 치밀한 노력을 기울였다. 일례로 삼성디스플레이는 폴더블 전용 디스플레이를 제조하는 별도의 생산 라인을 구축했고, 시장성을 갖추기 위해 부품 단가와 수율 등에도 까다로운 기준을 적용했다. 삼성디스플레이가 폴더블 디스플레이 시제품을 처음 선보인 것은 2010년이었는데, 이를 실제 제품에 적용할 수 있게 되기까지 10년에 가까운 시간이 필요했다. 마찬가지로 폴더블폰에 적합한 배터리와 경첩 등 다양한 부품과 사용자 인터페이스(UI) 등을 개발하는 데에도 상당한 노력과 비용 그리고 시간이 소요됐다.

하지만 앞에서 살펴본 것처럼 출시 당시 시장의 반응은 기대만큼 좋지 않았다. 디스플레이를 접었다 펼 수 있는 폴더블 형태의 스마트폰이 정체되어 있던 스마트폰 하드웨어 발전에 새로운 가능성을 보여줬다는 평가도 있었다. 그러나 기존 스마트폰과 비교해 무겁고 두꺼워서 충분히 준비되지 않은 시제품처럼 보인다는 지적이 나왔고, 가격 또한 비쌌다. 접으면 스마트폰, 펼치면 태블릿처럼 사용할 수 있는 아이디어를 실현한 것은 대단한 기술적 성과지만 주류 시장에서 자리를 잡기에는 갈 길이 멀어 보인다는 평가가 많았다.

그러나 삼성전자는 뚝심 있게 폴더블폰을 밀어붙였다. 초기 제품에 지적됐던 요소들을 보강해나갔다. 특히 세로로 화면을 접는 '플립' 시리즈에서는 화면을 일반 스마트폰 크기로 줄여 휴대성을 대폭 강화했다. 이런 노력은 조금씩 결실을 맺고 있다. 갤럭시 폴드와 플립 시리즈는 삼성전자가 오랜 기간 쌓아온 하드웨어 기술력의 집약체라는 평가를 받으며 점차 판매를 늘려나갔고, 2021년부터는 연간 판매량이 1,000만 대 안팎에 이를 정도로 성장했다.

삼성전자가 폴더블 스마트폰을 고집하는 이유

하지만 폴더블 스마트폰이 주류 상품으로 인정받기까지는 아직 갈 길이 멀다. 시장조사기관 〈옴디아(Omdia)〉에 따르면, 2026년에도 세계 스마트폰 연간 판매량에서 폴더블 제품이 차지하는 비중은 3.6%에 머물 것으로 예상된다.

이는 가장 크게는 다수의 스마트폰 소비자들이 현재로서는 삼성전자의 기술 혁신을 인정하면서도 그 기술에 지갑을 열 만큼의 매력은 느끼지 않는것을 의미한다. 화면을 접었다 펼 수 있는 특징은 분명 획기적이었지만 게임과 웹서핑 등 일부 콘텐츠 이용에 차별화된 경험을 제공한다는 장점은 높은 가격이라는 단점을 상쇄하기에는 역부족이었다.

물론 이는 시간이 지남에 따라 상당 부분 해결될 것이다. 더 많은 후속 제품이 출시되면서 완성도가 높아지고 폴더블 스마트폰에 적합한 콘텐츠와 소프트웨어 출시도 늘어날 것이기 때문이다. 삼성전자가 갤럭시 폴드와 플립 시리즈의 마케팅에 적극적인 점도 수요 증가에 기여하고 있다. 중국 기업들도 연달아 폴더블폰을 내놓고 있다.

〈카운터포인트리서치〉에 따르면, 세계 폴더블 스마트폰 시장 규모는 2021년 900만 대에서 2022년 1,600만 대, 2023년 2,600만 대로 가파른 증가세를 보일 것으로 추정된다. 스마트폰 시장에서 폴더블 제품이 차지하는 비중은 크지 않더라도 수요가 꾸준히 늘고 있다는 점은 분명하다. 삼성전자는 전체 시장에서 절반이 넘는 점유율을 당분간 지킬 것으로 예상된다.

반면 애플은 폴더블 스마트폰 출시에 속도를 내지 않고 있다. 물론 대부분의 부품을 자체 개발하고 생산하는 삼성전자에 비해 폴더블 생산을 위한 부품 공급망을 갖추는 일이 생각보다 어렵고, 기업 특성상 하드웨어와 전용 운영체제를 동시에 개발해야 한다는 측면도 고려해야 한다. 하지만 출시를 미루는 가장 큰 이유는 그들의 사업 전략 때문이다.

애플 CEO 팀 쿡은 오래전부터 "우리는 기술이 확실하게 준비되기 전까지는 선을 넘지 않는다"고 말해왔다. 이는 기술 자체의 완성도뿐 아니라, 실제로 시장에서 대다수 소비자들이 새로운 기술을 받아들일 준비가 되었는지를 살피는 것이 중요하다는 의미다. 그런데 팀 쿡의 이런 발언은 사실 우리가 알고 있던 '혁신가' 애플의 이미지와는 다소 엇갈리는 면이 있다.

뒤바뀐 퍼스트 무버와 패스트 팔로워

애플이 아이폰을 처음 시장에 내놓은 것은 2007년이다. 이후 지금까지 애플은 아이폰에 비길 '완전히 새로운 하드웨어 플랫폼'을 내놓지 못했다. 매년 새로운 하드웨어로 거론되는 후보 제품으로는 증강현실 및 가상현실(VR) 헤드셋과 편의상 '애플카'로 불리는 자율주행 전기차가 꼽힌다. 그러나 이들 제품은 여러 세부 사항을 두고 추측만 무성하다.

애초 애플의 AR/VR 헤드셋은 2022년, 애플카는 2024년 공개를 목표로 하고 있었다. 그러나 이런 계획이 미뤄지자 실제 사업화가 진행될 가능성이 불투명하거나 일반 소비자를 겨냥한 제품이 아닐 수 있다는 관측마저 나오고 있다. 애플은 2023년 6월, 마침내 첫 AR 헤드셋인 '비전 프로'를 선보였다. 그러나 출시 시점은 2024년으로 밀렸고, 가격도 3,500달러에 이르는 등 전문가용 기기에 가까운 성격을 띤 것으로 보인다. 이는 제품을 시장에 선보였을 때 성공을 거둘 수 있을 것이라는 확신이 아직 부족하기 때문이라는 분석이 우세하다. 눈을 가리는 장비를 머리에 착용해야만 콘텐츠를 이용할 수 있는 AR/VR기기, 또는 스마트폰과 완전히 다른 카테고리인 애플의 자동차를 과연 얼마나 많은 소비자가 기꺼이 구매할지 알 수 없기 때문에 출시에 신중한 것이라는 이야기다.

이에 반해 삼성전자가 갤럭시 폴드를 처음 공개하고 시행착오를 겪은 뒤 이를 교훈 삼아 꾸준한 발전을 보이고 있는 점은 애플과 삼성전자의 분명하게 다른 전략 차이를 암시한다. 삼성전자는 성공 가능성이 불투명한 상황에도 과감한 투자와 장기간의 노력을 통해 폴더블 스마트폰의 제품화에 기어이 성공했다. 부정적 평가를 받아들여 문제점을 개선하려는 꾸준한 시도를 통해 해당 분야를 선점한 것이다.

이런 전략은 삼성전자가 2018년에 처음 선보인 마이크로 LED 기반 TV에서도 찾을 수 있다. 마이크로 LED TV는 소형화가 어렵고 생산 단가가 매우 높다. 2020년 첫 출시된 제품은 판매가가 무려 1억 7,000만 원이었다. 기존 TV와 비교해 시장성이 매우 낮은 상황에도 출시를 강행한 것은 이 시장에서 확실한 선두 기업으로 입지를 굳히겠다는 의지가 강력했기 때문이다. 이러한 삼성의 사업 방식은 상당한 리스크를 감수해야 하지만, 중장기적으로는 시장을 개척하고 흐름을 주도하는 퍼스트 무버(first-mover)가 될 수 있다는 장점을 갖고 있다.

반면 아이폰으로 스마트폰 시장을 열었던 원조 퍼스트 무버, 애플은 점점 더 안전한 방식에 기대는 기업으로 바뀌어가고 있다. 확실하게 검증이 된 시장에서만 사업 기회를 찾겠다는 전략은 수익성과 기업가치를 안정적으로 유지하는 데 효과적이다. 그러나 신사업에 도전할 동력을 상실할 수 있다.

애플도 최근 이를 의식했는지 소수의 고객을 위한 고가 제품을 소량 선보인 뒤, 시장에서 긍정적 반응을 얻으면 보급형 라인업을 내놓고, 이후 본격적으로 판매를 확대하는 쪽으로 방향을 틀고 있다. 2017년 처음으로 OLED 디스플레이와 듀얼 카메라를 적용한 아이폰X를 출시하며 '특별한 소비자를 위한 제품'이라고 홍보한 것은 이러한 방향성을 엿볼 수 있는 대목이다.

「로이터(Retuters)」는 갤럭시 폴드가 처음 공개된 뒤 "삼성전자가 패스트 팔로워(fast-follower)에 불과하다는 비판을 넘어설 계기를 만들었다"고 평가했다. 삼성전자는 지금까지 스마트폰 시장에서 애플의 뒤를 따라가는 기업에 불과하다는 평가를 받아왔지만, 이제는 차세대 사업 분야에서 퍼스트 무버로 도약할 수 있는 잠재력을 보이고 있다는 평가다. 실제로 삼성전자는 AR/VR 기기와 자율주행차를 비롯한 미래 유망 산업에 대응할 수 있는 반도체와 디스플레이 등 부품 기술에 아낌없는 투자를 하고 있고, 이미 상당한 기술을 확보했다. 폴더블 스마트폰을 만든 것에 그치지 않고 미래 IT 시장을 선도할 기술을 차곡차곡 쌓아온 것이다.

One more thing

"혁신은 없었다."

국내외 언론에서 발표하는 IT 분야 기사를 관심 있게 봤다면, 이런 문구가 주로 나오는 시점이 언제인지 알고 있을 것이다. 애플은 매년 9월 전후 신제품 발표회를 열고 최신형 아이폰을 공개한다. 그런데 언제부턴가 애플 신제품 발표회 날이 되면 으레 이 문장이 언론과 IT 전문가들의 글에 등장한다. 물론 삼성전자가 일반적으로 하반기 플래그십 스마트폰을 애플보다 앞서 공개하면서 하드웨어 측면의 더 많은 변화를 선보여왔기 때문에 애플 입장에서는 억울할 수 있다. 특히 국내 언론에서 이런 표현이 자주 사용된 것은 우리나라 대표 기업인 삼성전자가 기술 경쟁에서 미국 최대 기업인 애플을 제쳤다는 자부심이 반영된 측면도 있다.

그러나 실제로 여러 해 동안 애플이 출시한 아이폰은 이전과 대동소이한 디자인과 기능을 선보였을 뿐 스티브 잡스가 강조하던 'One more thing'은 없었다. 이런 제품을 반복적으로 만난 소비자들은 이제 애플 신제품에 '혁신은 없다'는 것을 당연하게 받아들인다. 애플에 대한 소비자의 기대감도 낮아졌다.

그 사이 삼성전자는 디스플레이를 반으로 접을 수 있는 새로운 폼팩터(form-factor, 제품 외형)를 갖춘 폴더블폰을 선보였다. 이에 질세라 애플도 아이폰에 고성능 프로세서와 카메라, 새로운 소프트웨어 등을 적용하면서 꾸준히 업그레이드를 시도했지만, 스마트폰 시장 초기의 치열한 기술 경쟁을 기억하는 소비자들의 기대에는 못 미쳤다.

냉정하게 보자면, 삼성전자의 스마트폰 혁신도 폴더블 스마트폰을 선보인 이후에는 수년째 정체 상태에 있다. 다만 이는 삼성전자의 기술적 한계라기보다는 스마트폰 시장 자체가 '혁신'이라는 단어에 어울리지 않는 분야가 된 탓이 크다.

최신형 스마트폰에 소비자 수요가 몰리며 전체 시장 성장을 주도하던 전성기는 과거의 일이 됐다. 또 성능과 디자인 등이 대부분 상향평준화돼 이전처럼 혁신적 변화라고 평가할 만한 요소는 거의 등장하지 않는다.

소비자들 역시 새로운 스마트폰을 구매할 이유를 찾지 못하고 있다. 이를 반영하듯 시장조사기관 〈스트래터지애널리틱스(Strategy Analytics)〉에 따르면 2015년 기준으로 30개월이 되지 않던 세계 스마트폰 평균 교체 주기는 2022년 43개월 안팎으로 길어졌다. 스마트폰 제조사들은 소비자의 변화에 따라 단가가 높은 부품을 사용해 하드웨어 측면에 큰 개선을 추진하기보다 원가를 낮춰 가격 경쟁에 대응하거나 수익성을 확보하는 쪽으로 전략을 바꿔나가고 있다. "혁신은 없었다"는 표현은 스마트폰 업계 전반의 상황을 나타내는 말이라고 보는 것이 더 적절할 것이다.

삼성전자와 애플은 전 세계 IT 기기 시장의 양대산맥이다. 물론 시가총액이나 제품 매출 규모를 두고 보면 애플이 삼성전자를 큰 차이로 압도한다. 그러나 두 기업이 서로를 가장 중요한 라이벌로 의식해 끊임없이 경쟁을 이어가고 있다는 데는 이견이 없다. 애플이 2011년 삼성전자를 상대로 제기한 스마트폰 특허 소송은 이를 뚜렷하게 보여주는 상징적 사건이다.

애플은 갤럭시 스마트폰의 디자인과 일부 인터페이스 요소가 아이폰의 특허를 침해했다며 2011년 소송을 제기했다. '둥근 모서리'와 같은 특징이 아이폰의 고유한 디자인 요소라는 것이다. 이에 대해 사실상 삼성전자의 스마트폰 사업 진출을 견제하려는 애플의 자존심을 건 싸움이라는 해석이 유력했다. 약 7년에 걸쳐 지속된 분쟁은 결국 두 회사의 합의로 마무리됐는데, 치열한 법정 공방은 두 회사가 스마트폰 시장 주도권을 두고 벌인 신경전을 그대로 보여 주었다는 평가가 많다.

하드웨어 기업 VS. 생태계 기업

그렇다고 삼성전자와 애플의 혁신 경쟁이 완전히 멈췄다고 볼 수는 없다. 두 기업의 경쟁은 새로운 국면에 접어들고 있다. 스마트폰 다음에 전 세계 IT 시장을 주도할 하드웨어 또는 플랫폼이 어떤 것인지 찾아내고 이를 선점하려는 경쟁을 펼치고 있는 것이다. 스마트폰 시장이 지난 15년 가까이 전 세계 소프트웨어와 콘텐츠 생태계, 부품 공급망 등을 주도해왔다는 점을 고려하면, 이를 대체할 제품을 선점하는 것은 경쟁에서 승리를 거머쥐기 위해 반드시 이뤄내야 할 과제라고 볼 수 있다.

그런데 이는 스마트폰과 같은 성공 공식이나 전략이 통하지 않을 수 있는 완전히 새로운 시장이라는 점에서 제3의 기업이 '다크호스'로 떠오를 가능성도 충분하다. 다소 과격한 전망일 수 있지만, 스마트폰 사업에서 세계 상위 기업으로 입지를 굳힌 일이 삼성전자와 애플에 미친 긍정적 효과를 살펴본다면 새로운 하드웨어의 중요성이 얼마나 중요한지 이해할 수 있을 것이다.

삼성전자의 현재 매출과 영업이익에서 가장 큰 비중을 차지하는 것은 반도체와 디스플레이 등 부품 사업이다. 이들 사업은 모두 스마트폰 시장을 중심으로 성장해왔다. 2010년대 고사양 스마트폰 수요가 폭발적으로 늘어나면서 자연히 우수한 성능과 전력 효율을 구현할 수 있는 시스템반도체와 메모리반도체, 디스플레이의 수요가 급증했다. 이는 삼성전자가 글로벌 고객사의 주문에 대응하며 성장할 수 있는 밑바탕이 됐다. 특히 삼성전자는 큰 화면과 우수한 구동 성능으로 대표되는 하드웨어 발전을 주도했고, 애플을 비롯한 경쟁업체들이 이를 따르기 시작하면서 관련된 부품 시장의 규모가 더 커지는 결과로 이어졌다. 현재도 삼성전자 부품 사업에서 모바일 분야 실적이 가장 큰 비중을 차지한다는 점을 고려한다면 스마트폰이 차지했던 역할을 실감할 수 있다.

애플도 마찬가지다. 애플은 아이폰 중심의 생태계를 구축해 지금의 사업 구조를 완성했다. 소비자가 아이폰을 구매하면 앱스토어, 애플뮤직, 클라우드 등 콘텐츠와 서비스를 꾸준히 이용하며 돈을 쓰도록 한 것이 지금의 애플 사업 구조다. 스마트폰 판매가 일회성으로 실적에 기여하는 데 그치지 않고 부가 사업을 통한 안정적 수익 기반으로 작동하도록 한 것이다. 특히 제품의 교체 주기가 길어짐에 따라 콘텐츠와 서비스 매출의 중요성은 더욱 높아지고 있다.

2022년의 애플 실적을 보면 서비스 매출은 781억 달러로, 전체 매출에서 약 20%를 차지했다. 또한 애플워치와 에어팟, 맥북 등 이른바 아이폰과 연계된 '애플 생태계' 제품이 다수 출시돼 실적 기여 비중을 높이고 있다. 만약 스마트폰 시대가 막을 내린다면 애플은 이런 모든 사업에서 타격을 받을 수밖에 없다.

스마트폰 다음은 무엇인가

결국 삼성전자와 애플 모두 스마트폰 이후 시대를 대비해야 한다. 그렇지 않다면 성장은 없다. 그 제품이 AR/VR 기기가 될지, 스마트카가 될지, 아니면 인공지능 로봇이 될지는 지금으로선 알 수 없다. 다만 삼성전자가 해당 분야에서 기술 주도권을 확보한다면 반도체를 비롯한 핵심 공급망을 통해 스마트폰 시장에서와 같은 수혜효과를 재현할 수 있다. 애플이 주요 기업으로 자리 잡는다면 다양한 연계 서비스와 파생 제품을 통해 아이폰 생태계와 유사한 차별화 요소를 만들어낼 것이다.

그러나 만약 새로운 시장에 효과적으로 대응하지 못한다면 두 기업 모두 한때 세계 최고의 IT업체로 꼽혔지만 스마트폰 시장에 대응이 늦어 뼈아픈 실패를 겪어야 했던 노키아(Nokia)나 소니(Sony

Corporation)의 길을 따를지도 모른다.

삼성전자와 애플의 혁신 경쟁은 스마트폰의 시대를 벗어나 미래를 향해 나아가고 있다. 하지만 두 기업 모두 어떤 분야가 '제2의 스마트폰'이 될지 뚜렷한 방향성을 잡지는 못했다. 당분간 점진적으로 스마트폰 의존도를 낮추면서 새로운 성장동력을 찾기 위한 여러 실험과 시도를 거치게 될 것으로 예상된다.

DNA부터 다르다

2022년 11월, 적어도 수백 명은 되어 보이는 중국인들이 보호장구로 무장한 경찰과 대치하며 시위를 벌이는 모습이 소셜미디어를 통해 퍼져나갔다. 시위대가 경찰에서 설치한 울타리를 무너뜨리거나 던지고, 또 여러 명의 경찰이 시위대를 둘러싸고 진압봉으로 구타하는 장면은 전 세계에 충격을 안겼다. 아이폰을 전 세계에서 가장 많이 생산하는 중국 정저우 폭스콘(Foxconn) 공장에서 발생한 사건이었다.

충돌이 발생한 근본적 원인은 중국 정부의 강력한 코로나19 봉쇄 정책에 있었다. 중국은 코로나19 확산세가 본격화되자 감염자가 발생한 지역의 공장 가동을 멈추게 하거나 출퇴근을 금지했다.

이 조치는 곧 경제적 타격으로 이어졌다. 그러자 다급해진 중국 지방 정부는 공장 운영을 허용하는 대신 근로자들이 외부로 출입할 수 없도록 했다. 내부에서 숙식을 모두 해결하는 이른바 폐쇄루프(closed loop) 방식을 대안으로 내놓은 것이다. 이 과정에서 노동자들이 부당한 처우를 받거나 감염 위험에 노출됐다. 결국 일부 노동자들이 집단으로 공장에서 탈출하거나 시위를 벌이며 사태가 격화된 것이다.

정저우 공장뿐만 아니라 선전 등 중국 내 다른 지역의 아이폰 생산 공장도 정부의 가동 중단 명령과 물류 이동 제한으로 운영에 차질을 겪었다. 이는 곧 애플의 사업에 큰 타격을 입혔다.

매년 4분기는 애플의 신형 아이폰이 출시되고 연말연시 성수기를 맞아 가장 많은 판매량을 기록하는 중요한 시즌이다. 그런데 아이폰 생산 공장의 가동 차질이 본격화되자 당장 공급에 차질이 빚어졌다. 특히 시위가 벌어진 정저우 공장은 아이폰 생산량의 최대 70%를 책임지고 있어 피해가 더 컸다. 폭스콘 경영자들이 다급하게 근로자들에 특별 인센티브 등을 약속하며 인력을 충원하는 데 힘썼지만 한계가 있었고, 약속한 혜택이 제때 제공되지 않자 또다시 시위가 벌어졌다.

코로나 팬데믹, 애플의 약점이 드러나다

이 사건은 애플의 가장 큰 약점을 여실히 드러냈다. 애플은 중국 공장에서 대부분의 제품을 생산해왔다. 그런데 코로나19라는 변수를 만나서 이러한 생산 집중 구조가 최대 악재로 떠오른 것이다.

이는 트럼프 행정부 시절부터 꾸준히 지적되어온 약점이기도 하다. 당시 미국 정부가 중국에서 생산되는 일부 공산품의 미국 내 판매를 규제하는 법안을 추진하자 아이폰을 비롯한 애플의 주요 상품이 판매 금지가 될지도 모른다는 전망이 있었다. 물론 이 규제는 애플이 미국 경제에서 차지하는 중요성과 소비자의 권리 등을 고려할 때 실현 불가능한 조치였다. 극단적인 상황은 벌어지지 않았지만, 애플은 리스크를 줄이기 위해 인도와 동남아시아 국가 등으로 아이폰 생산 거점 다변화를 추진했다. 그러나 이러한 시도가 가시화되는 데는 꽤 오랜 시간이 걸릴 것으로 보인다.

코로나19가 정점으로 치닫던 2022년 4분기 애플의 아이폰 매출은 전년 동기 대비 8% 가량 줄어들었다. 2016년 이후 가장 큰 감소 폭이었다. 애플은 중국 공장의 생산 차질이 원인이라고 인정하면서 '장기적 관점의 해결책'에 집중하겠다고 밝혔다. 언뜻 문제를 적극적으로 풀어내겠다는 말 같지만, 바꿔 생각해보면 비슷한 사태가 또 벌어진다고 해도 단기간에 이를 해결하기는 쉽지 않다는 뜻이기도 하다.

애플은 근본적으로 매출과 영업이익의 상당부분을 아이폰 판매에 절대적으로 의존하고 있다. 콘텐츠와 클라우드 등 서비스 매출도 결국 아이폰을 사용하는 소비자에게 창출된다.

그래서 애플을 '펜과 종이로만 돈을 버는 기업'이라고 한다. 삼성전자와 달리 핵심 상품인 아이폰을 직접 제조하는 대신 소수의 위탁생산 협력사에 맡기고, 휴대폰 제조에 필요한 부품들을 모두 외부 공급업체에 의존하는 것이 애플의 생산 구조다. 애플은 이들을 '펜과 종이'로 관리할 뿐이다.

코로나 팬데믹, 삼성의 강점이 돋보이다

삼성전자는 애플과 정반대 구조를 갖고 있다. 삼성전자는 반도체와 디스플레이, 카메라 등 거의 모든 핵심 부품을 자체적으로 생산하거나 계열사를 통해 조달한다. 그리고 완제품을 생산하는 공장을 직접 운영, 판매하는 수직계열화 구조를 갖추고 있다.

이 구조는 코로나19를 계기로 장점으로 떠올랐다. 애플 이외에도 다수의 글로벌 제조사들이 반도체 수급 부족과 물류난으로 생산 차질을 겪는 동안 삼성전자는 별 피해가 없었다. 현재 삼성전자 스마트폰은 절반에 가까운 물량이 베트남에서 만들어지고 있고, 나머지는 구미공장과 동남아시아의 다른 국가, 중남미와 인도 등으로 분산해 생산하고 있다. 애플과 비교해 생산 거점이 다변화되어 있는 것이다. 현재는 베트남의 생산 비중을 낮추려 노력하고 있다.

또한 제품에 사용되는 다수의 핵심 부품 역시 대부분 삼성전자의 자체 공급망을 활용하고 있기 때문에 반도체 공급 부족 사태와 같은 변수에 능동적으로 대응할 수 있다. 이는 삼성전자가 직접 공장을 운영하기 때문에 가능한 구조다.

반면 애플은 폭스콘과 페가트론(Pegatron), 럭스쉐어(Luxshare) 등 외부 업체에 제품 생산을 전적으로 맡기고 있다. 이들 기업은 대부분 중국에 거점을 두고 있다. 생산 거점을 옮길 때 이들의 입장을 고려해야 하기에 중국 이외 국가에 제조 공장을 설립하는 일이 쉽지 않다. 또 직접 생산 투자를 진행하지 않기 때문에 협력사들과 꾸준히 협상을 벌여야만 한다. 이는 공급망 리스크가 커질수록 더욱 취약해질 수밖에 없는 구조다. 미국과 중국의 무역 갈등, 러시아의 우크라이나 침공 등 지정학적 리스크가 커지는 현재, 이런 약점은 더욱 치명적으로 작용할 공산이 크다.

애플카는 왜 나오지 않는 걸까

국가들 간의 교역이 축소되고 무역 장벽이 높아지는 탈세계화가 진전될수록 애플의 생산 구조는 위험해진다. 만약 중국의 대만 침공이 현실화되어 TSMC가 반도체 공급을 멈추고 중국의 폭스콘 공장에서 생산된 아이폰의 해외 반출이 중지된다면, 애플은 제품을 생산하거나 판매할 수 없게 된다.

애플이라고 이런 위험을 손 놓고 바라보고 있는 것은 아니다. 리스크 분산을 위해 다수의 부품 공급 및 위탁생산 협력사를 두고 물량을 유동적으로 조정하는 전략을 써왔다. 그러나 최근 하드웨어 성능 경쟁이 치열해지면서 경쟁력이 뛰어난 TSMC 같은 업체에 핵심 부품의 공급을 크게 의존하게 됐다. 만약 지정학적 리스크와 인플레이션으로 협력사들이 공급 단가를 대폭 올리거나 부품을 충분히 공급할 수 없는 상황이 발생한다면 상당한 위기에 처할 수 있는 구조다.

반면 삼성전자는 외부 리스크가 닥치더라도 공급망 수직계열화라는 장점을 십분 활용할 수 있다. 시장 상황에 따라 반도체와 디스플레이 등 주요 부품 수급과 완제품 생산을 탄력적으로 조정할 수 있고, 생산 투자도 주도권을 쥐고 결정할 수 있기 때문이다.

지정학적 리스크가 큰 중국이나 대만에 부품 공급망을 의존하지 않는다는 점은 지금의 국제 정세 속에서 매우 주목할 만한 이점이다. 베트남에 다소 의존도가 높긴 하지만 삼성전자가 베트남 경제에서 상당히 비중이 큰 덕분에 베트남 정부와 현지 협력사의 전폭적 지원을 받고 있다. 물론 삼성전자도 일부 제품은 OEM(주문자상표 부착생산), ODM(제조업자 설계생산) 같은 위탁생산 방식을 활용한다. 하지만 비중이 크지 않다. 사물인터넷 기기나 AR/VR 기기, 스마트카용 전장부품과 같은 분야에서도 삼성전자는 수직계열화 구조를 갖춰 대응할 것으로 예상된다.

반면 애플은 새로운 제품을 출시하려면 이를 제조할 수 있는 위탁 생산업체, 부품을 공급해줄 협력사 등을 모두 계약을 통해 확보해야 한다. 이는 더 많은 시간과 비용이 필요하다는 뜻이다. 애플카의 출시가 소문만 무성하고 늦어지는 또 다른 이유다.

팀 쿡은 공급망 운영 및 관리 분야에서 탁월한 능력을 인정받아 최고경영자 자리에까지 오른 인물이다. 그는 제품과 부품 생산을 직접 하지 않는 지금의 사업 구조를 구축하는 데 지대한 공헌을 했고, 이를 인정받아 지금의 자리에 올랐다. 최근 벌어진 일련의 생산 차질 사태에도 불구하고 팀 쿡의 관리 능력은 여전히 굳건하다는 평가를 받고 있다. 그러나 국제 무역환경과 지정학적 불확실성이 갈수록 확대되는 상황에서 이후 그의 관리 능력이 어떻게 평가받게 될지는 미지수다.

양날의 칼, 수직계열화

그러나 삼성전자의 수직계열화 구조가 장점만 있는 것은 아니다. 우선 스마트폰과 같은 핵심 산업의 위기가 찾아왔을 때 완제품은 물론 여러 부품 사업이 동시에 타격을 받을 수 있다. 애플은 협력사들에 주문하는 부품 물량과 위탁생산 업체의 아이폰 생산량을 축소하라고 요구하는 것으로 리스크를 상당 부분 낮출 수 있지만, 삼성전자와 계열사들은 물량 감소에 따른 위험을 온전히 떠안아야 한다.

기술 측면의 한계도 지적된다. 지금은 삼성전자가 스마트폰 하드웨어와 대부분의 부품에서 최고의 기술력을 자랑하고 있다. 하지만 이러한 우위를 유지하지 못하면 부품 사업의 실적 악화를 감수하고 외부 협력사를 선택하거나 완제품의 성능 경쟁력을 타협해야만 하는 상황에 놓일 수 있다.

삼성전자가 최근 주요 스마트폰 라인업의 사양을 높이기 위해 자체 프로세서인 엑시노스(Exynos) 대신 퀄컴의 스냅드래곤(Snapdragon)의 사용을 늘리고 있다는 점에 주목할 필요가 있다. 삼성전자가 설계한 엑시노스의 성능이 스냅드래곤에 미치지 못하고 있기 때문에 스마트폰 경쟁력 유지를 위해 어쩔 수 없는 선택을 한 것이다. 이처럼 자체 설계하고 직접 제조하는 반도체 대신 외부 업체의 기술을 들여와 쓴다면 삼성전자 반도체 실적에는 불가피하게 악영향을 끼칠 수밖에 없다.

수익성과 제품 판매가를 고려해 디스플레이 등 부품을 삼성디스플레이 대신 중국 협력사에서 사들이는 사례도 늘고 있다. 이는 자회사인 삼성디스플레이의 패널 단가가 중국 업체보다 높아 부담이 커진 데 따른 조치다. 이처럼 삼성전자가 수직계열화 부품 공급망의 경쟁력을 유지하지 못한다면 이러한 구조가 언제까지 지속될 수 있을지 장담하기 어렵다.

슈퍼맨과 어벤저스

매년 6월, 애플은 캘리포니아에서 대규모 이벤트를 개최한다. 세계개발자회의(WWDC, Worldwide Developer Conference)라는 이름이 붙은 행사가 그것이다. 이날이 되면 전 세계의 소프트웨어 개발자들이 모여 애플의 새로운 운영체제와 출시를 앞둔 신제품 등에 대한 설명을 듣고 업계의 최신 기술 동향을 공유한다.

코로나 팬데믹 이전인 2019년 회의에는 전 세계에서 5,000명이 넘는 참석자가 모였을 정도로 상당한 규모를 자랑한다. 회의 참석을 위해서는 1,599달러라는 비싼 티켓을 구매해야 하지만 해마다 추첨을 통해 선발해야 할 정도로 인기가 높았다. 애플이 소프트웨어 개발자들에게 어떤 기업으로 인식되고 있는지 단적으로 보여주는 행사라 할 수 있다.

WWDC는 애플의 역사와 함께 해왔다. 처음 WWDC가 열린 해는 애플이 창립한 뒤 약 7년이 지난 1983년이다. 스티브 잡스가 모바일 시장의 흐름을 바꿔놓은 아이폰 3G와 앱스토어를 처음 발표한 자리도 2008년 WWDC였다. 참석자가 폭발적으로 늘어나기 시작한 것도 이즈음이다. 개발자뿐 아니라 애플에 관심이 높은 전 세계 소비자와 언론도 이날 발표되는 내용에 주목하고 있다.

애플의 '닫힌 생태계' 전략

전용 운영체제와 전용 앱, 전용 콘텐츠 등으로 구성된 소프트웨어 생태계를 빼놓고 애플 제품을 논하기란 불가능하다. 애플은 아이폰을 개발할 때부터 하드웨어 자체보다 외부 개발자들이 활발하게 참여할 수 있는 독자적인 앱스토어를 중심에 놓았다.

이 전략은 여러 우려에도 불구하고 큰 성공으로 이어졌다. 수많은 모바일 게임이나 인스타그램과 같은 모바일 플랫폼, 유튜브 앱 등이 앱스토어에서 거래되지 않았다면 아이폰의 시대는 오지 않았을 것이다. 그래서 애플도 WWDC를 개최할 때마다 우수한 개발자들이 없었다면 자신들의 제품이 성공하지 못했을 것이라는 점을 꾸준히 강조하고 있다.

애플의 강력한 소프트웨어 생태계는 소비자들이 다른 회사의 제품으로 갈아타지 못하게 하는 장벽 역할을 한다. 아이폰과 맥북 사용자가 안드로이드 운영체제를 기반으로 하는 제품이나 윈도(Windows) PC를 구매한다면 대부분의 앱이나 소프트웨어를 새로 구매해야 한다. 더구나 안드로이드 스마트폰이 시장에서 자리 잡지 못했던 초반에는 애플 기기에서만 이용할 수 있는 앱이 훨씬 많았다. 애플은 일찌감치 앱스토어를 중심으로 한 아이폰 생태계 확장을 위해 WWDC와 같은 행사를 통해 개발자를 적극적으로 지원해왔다.

이러한 애플의 소프트웨어 생태계는 자체 개발하는 하드웨어 및 운영체제와 긴밀하게 연결된 구조를 갖추고 있다. 반면 삼성전자 스마트폰의 경우에는 하드웨어 및 사용자 인터페이스(UI) 개발은 삼성전자가, 운영체제인 안드로이드 개발과 앱스토어 운영은 구글이 담당한다. 안드로이드 운영체제는 갤럭시 스마트폰에만 사용되는 것이 아니기 때문에 최적화에 한계가 있다. 반면 애플은 이를 모두 직접 개발, 관리하기 때문에 소프트웨어 최적화 측면에서 확실한 장점을 갖고 있다. 하드웨어 및 운영체제를 동시에 설계하는 만큼 아이폰과 맥 시리즈의 완성도를 높일 수 있고 소프트웨어 업데이트도 비교적 쉽게 배포할 수 있다.

최대 강점이자 약점이 된 전략

다만 애플은 이러한 과정에서 외부 업체가 참여하기 어려운 '닫힌 생태계'를 고집하고 있다. 갤럭시 스마트폰에서는 구글 이외에도 아마존(Amazon) 등 다양한 앱스토어를 사용할 수 있지만 애플은 오직 자체 앱스토어만 허용한다. 따라서 아이폰 이용자들은 애플의 심사를 거친 앱만 설치할 수 있고, 애플의 정책을 따르지 않는 앱이나 콘텐츠는 원천적으로 이용할 수 없다.

이 때문에 애플이 자신의 이익을 위해 소비자의 선택권을 제한하고 있으며, 소비자들이 안드로이드 스마트폰에서 허용되는 여러 편의 기능을 사용하지 못하게 한다는 불만의 목소리가 있다. 대표적으로 애플은 외부 개발자들이 만든 런처 앱(launcher App, 인터페이스와 글꼴 등을 사용자의 취향에 맞춰 자유롭게 바꿀 수 있게 하는 앱)을 금지하고 있다. 한때는 아이폰에 외부 앱 설치를 허용하도록 제품을 해킹하는 '탈옥(jailbreak)'이라는 것이 유행하기도 했다. 애플의 폐쇄적 정책이 감옥과 같다는 비유적 표현이다.

이외에 애플이 정치적 관점을 앞세워 특정 앱을 앱스토어에 배포할 수 없도록 막고 있다거나, 구독형 서비스를 자체 플랫폼에서만 결제할 수 있도록 해 독점적 지위를 남용하고 있다는 비판이 있다. 유럽연합 등 일부 국가에서는 이러한 행위를 규제하자는 논의가 본격적으로 이뤄지고 있다.

애플의 닫힌 생태계는 지금까지 충성 고객과 매출, 수익이라는 세 마리 토끼를 잡는 데 큰 역할을 했다. 그러나 사물인터넷과 같이 외부 디바이스와의 소통이 점점 중요해지는 현재 트렌드에서는 이러한 특성이 뚜렷한 약점이 될 것으로 보인다.

사물인터넷 서비스는 여러 플랫폼 사이 연계가 중요하다. 그러나 애플은 사물인터넷에서도 자체 플랫폼인 홈(Home)을 전면에 내세우며 닫힌 생태계를 고수하고 있다. 그러는 사이 아마존과 구글, 삼성전자 등 경쟁사는 개방형 생태계 전략을 통해 서로의 플랫폼과 기기가 연계되도록 하고 있다. 예를 들어 구글의 음성인식 스피커로 삼성전자 가전제품을 작동시키거나 아마존의 동영상 스트리밍 서비스를 이용할 수 있다.

2018년 출시된 애플 인공지능 스피커 홈팟(Homepod)의 실패 사례는 애플이 고수하는 닫힌 생태계 전략의 약점을 드러낸다. 홈팟은 경쟁사 제품과 비교해 상대적으로 고가의 스마트 스피커다. 뛰어난 음향 품질과 애플 기기와의 편리한 연동성을 내세웠다. 음성인식 서비스 시리(Siri)와도 연계되는 등 기술 완성도가 높았다. 그러나 이미 아마존과 구글 등이 선점하고 있던 인공지능 스피커 시장에서 홈팟은 소비자들에게 외면받고 말았다. 아무리 서비스 자체가 훌륭해도 애플 플랫폼만 활용할 수 있으니 범용성이 떨어졌던 것이다. 결국 홈팟은 2021년에 판매가 중지되었다.

2023년 1월, 애플은 홈팟의 단점을 개선한 2세대 홈팟을 출시했다. 2세대 홈팟은 닫힌 생태계 구조에서 한발 물러나 세계 사물인터넷 플랫폼 표준 규격인 매터(Matter)를 지원한다고 발표했다. 개방형 생태계의 장점을 인정한 셈이지만, 경쟁사를 따라잡기에는 이미 늦고 말았다.

애플 빼고 다 모여라

삼성전자는 운영체제 및 소프트웨어 경쟁력 측면에서 애플과 비교하면 분명히 약하다. 삼성전자도 자사 스마트폰에 자체 콘텐츠와 소프트웨어 생태계를 도입하려는 시도를 해왔다. 한때 구글 안드로이드 의존도를 낮추기 위해 자체적으로 개발한 운영체제인 타이젠(Tizen)을 발표하기도 했지만, 시장에서 자리를 잡지 못했다. 이외에도 '갤럭시 스토어'를 제외하면 다른 자체 콘텐츠 플랫폼도 소비자의 선택을 받지 못하고 역사 속으로 사라졌다.

그럼에도 삼성전자는 정기적으로 SSDC(Samsung Software Developer Conference, 삼성 소프트웨어 개발자 콘퍼런스)를 개최하며 애플의 WWDC와 같이 외부 개발자를 지원하기 위한 노력을 이어가고 있다. 영향력은 WWDC와 비교하면 크지 않지만, 최근 들어 이 행사는 삼성전자의 소프트웨어 생태계 전략의 방향성을 보여준다는 점에서 중요성을 더하고 있다.

삼성전자는 '개방형 생태계 전략'을 전면에 내세운다. 인공지능 플랫폼 빅스비(Bixby), 사물인터넷 플랫폼 스마트싱스(SmartThings) 같은 서비스는 외부 개발자 및 소프트웨어 전문 기업들이 개발한 프로그램의 연계를 적극적으로 허용하고 있다. 애플이 자신의 플랫폼을 이용하려는 개발사(자)들에게 엄격한 기준을 적용하는 것과 달리 개발자와 소비자의 자율성과 선택권을 모두 존중한다는 점을 앞세운다.

삼성전자의 전략은 다수의 글로벌 IT 기업을 우군으로 확보하며 이들을 통해 소프트웨어 측면의 약점을 보완할 수 있다는 점에서도 현명한 선택이었다. 구글과 마이크로소프트(Microsoft), 메타(Meta Platforms Inc.) 등 이른바 'FAANG(Facebook, Amazon, Apple, Netflix, Google)'에 포함되는 미국 5대 IT 기업 가운데 세 곳이 삼성전자와 소프트웨어 협업을 하고 있다. 하나씩 살펴보자.

우선 구글은 안드로이드 운영체제 및 앱스토어 운영 주체라는 점에서 삼성전자와 협력할 수밖에 없다. 세계 최대 안드로이드 스마트폰 제조사로 가장 중요한 매출 기반을 제공하는 곳이 삼성전자이기 때문이다. 최근 삼성전자와 구글은 점점 협업의 긴밀도를 높이며 소프트웨어 최적화를 위해 꾸준히 노력하고 있다. 두 회사는 최근 확장현실(XR)과 같은 신사업 분야에서도 협력 계획을 내놓았다.

마이크로소프트 역시 삼성전자 스마트폰과 윈도 기반의 PC 서비스의 연계를 높이기 위해 협력하고 있다. 아이폰과 애플 컴퓨터의 최대 장점은 업무용 소프트웨어, 문자메시지, 통화 등이 스마트폰과 컴퓨터 사이에서 매끄럽게 연동된다는 점이다. 마이크로소프트와 삼성전자가 손을 잡은 것은 바로 이러한 기능을 구현하기 위해서였다. 삼성전자 노트북과 스마트폰에 적용되는 링크 투 윈도(Link to Windows)가 대표적인 협력의 결과물이다. 또 삼성전자 스마트TV 구매자가 마이크로소프트의 클라우드 게임 플랫폼을 이용할 수 있도록 하는 등 콘텐츠 측면의 협력도 이어가고 있다.

페이스북에서 사명을 바꾼 메타는 메타버스 시장 진출에 관심을 보일 때부터 삼성전자와 협업했다. 삼성전자 스마트폰에서 사용할 수 있는 VR 플랫폼을 공유하는 것이 그 시작이었다. 이를 통해서 시장성을 확인한 뒤 회사 이름을 아예 메타로 바꿀 만큼 큰 자신감을 내비쳤다. 페이스북 창업자인 마크 저커버그는 최근 삼성전자 미국 연구개발 센터를 방문해 협력 가능성을 논의하는 등 꾸준한 러브콜을 보내고 있다. 그는 차세대 인터넷 시장에서 개방형 생태계가 승리할 수 있게 하겠다는 목표를 내놓기도 했다. 사실상 삼성전자와 힘을 합쳐 메타버스 시장에서 애플에 대항하겠다는 '선전

포고'를 한 것이다.

이처럼 삼성전자는 개방형 생태계 전략을 통해 대형 IT 기업과 동맹군을 구축하며 애플의 소프트웨어 경쟁력에 맞서고 있다. 다만 이런 협력 관계에서 협업의 주도권을 유지하며 이해관계를 확실히 지켜가야 한다는 만만치 않은 과제를 해결해야 한다.

만약 소프트웨어 분야에서 앞서나가고 있는 대형 IT 기업이 주도권을 쥔다면 삼성전자는 자칫 '덩치는 크지만 머리는 없는' 하청업체로 전락할 수 있다. 그래서 삼성전자는 외부 업체와의 협력을 확대하는 동시에 개발자 등 전문 인재를 자체적으로 육성하고 외부에서 영입하는 데도 노력을 기울이고 있다.

새로운 전장,
인공지능과 사물인터넷

2013년 개봉한 영화 〈그녀(Her)〉는 애플의 인공지능 서비스 시리와 유사한 인공지능 소프트웨어를 소재로 하고 있다. 디지털 기술이 지금보다 더 발전한 시대에 사는 주인공 시어도어는 인공지능 소프트웨어 '서맨사'를 만나게 된다. 서맨사는 마이크와 카메라, 센서 등으로 주변을 인식해 주인공의 말과 행동에 반응하고 대화를 나눈다. 시어도어는 서맨사와 대화를 나누면서 점차 서맨사를 '그녀'로 받아들이고 결국 사랑에 빠지게 된다. 이 영화가 관객의 이목을 끌었던 이유는 당시 애플이 선보였던 시리가 서맨사와 같은 수준으로 발전할 수 있을까 하는 기대감이 반영됐기 때문이다.

2011년 애플이 아이폰4S와 함께 시리를 처음 공개했을 때, 「워싱

턴포스트(The Washington Post)」는 애플이 과거 맥 컴퓨터를 선보였던 것과 같은 '혁명'을 재현할 수 있으리라고 평가했다. 시리가 음성인식을 통해 정해진 기능을 수행하는 첫 기기는 아니었다. 그러나 시리는 단순히 명령을 인식하는 데 그치지 않고 사용자가 내놓은 질문의 의도를 이해하고 대답한다는 점에서 진정한 인공지능 비서라는 찬사를 받았다.

가령 오늘의 날씨를 알고 싶을 때 "날씨를 알려줘"라는 일차원적 질문이 아니라 "오늘 우산이 필요할까?"라는 질문에도 시리는 질문자의 '의도'를 파악해 대답한다. 언어의 맥락을 이해하는 것이다. 현재 대부분의 음성인식 서비스가 시리 정도 수준에 도달했기 때문에 당연한 기능처럼 보이지만, 10여 년 전 당시에는 상당한 혁신이라는 평가를 받았다.

시리는 아이폰을 비롯한 애플 기기 이용자가 기기와 소통하는 방식을 근본적으로 바꿔놨다. 화면을 터치해 원하는 앱을 찾아 실행하고 목소리만으로 다양한 기능을 구동할 수 있게 된 것이다. 이는 디지털 기기가 일상생활에 더욱 파고들 수 있는 환경을 열어주었다. 시리는 필요한 시간에 알람을 설정하거나 일정을 입력하라는 명령, 가까운 식당을 찾아달라는 주문 등을 처리했고, 점진적인 업그레이드를 통해 이제는 진정한 인공지능 비서로 거듭나고 있다.

한국어의 언어 인식 정확도가 영어 등 다른 언어와 비교해 떨어지고 시리를 지원하는 플랫폼도 적어 우리나라에서는 시리의 기능을 이용하는 빈도가 상대적으로 높지 않다. 그러나 미국 등 국가에서는 시리가 일정과 날씨를 확인하고, 전화를 걸며, 물건을 사는 데 도움을 주는 삶의 일부분으로 받아들여지고 있다.

하드웨어 허브를 꿈꾸는 빅스비

애플이 주도한 시리 혁명은 주요 IT 기업이 앞다퉈 음성인식 서비스를 개발하고 자체 플랫폼에 적용하는 도화선이 됐다. 특히 아마존과 구글은 애플보다 상용 서비스는 늦었지만 큰 성공을 거두었다. 삼성전자도 뒤늦게 음성인식 기반의 인공지능 플랫폼 '빅스비'를 선보였다. 애플과 삼성전자의 경쟁이 시리와 빅스비의 대결로 확전된 것이다.

시장조사기관 〈보이스봇AI(Voice Bot AI)〉의 분석에 따르면 2020년 미국에서 애플 시리의 이용자 점유율은 약 45%이며 구글이 30%, 아마존이 18% 정도로 뒤를 따르고 있다. 반면 빅스비의 점유율은 7%에 미치지 못한다. 당시 삼성전자의 미국 스마트폰 시장 점유율이 30% 안팎이었다는 점을 고려하면 다소 미약하다고 평가할 수 있다. 그러나 애플이 그동안 자체 소프트웨어 및 플랫폼에서 장점을 보여왔고 삼성전자가 후발주자라는 점을 고려한다면 이해할 수 있는 수준이다.

시리는 이제 음성인식 기반 비서를 넘어 종합 인공지능 플랫폼으로 진화하고 있다. 실제로 애플은 시리를 '종합 인공지능 프로그램'이라고 정의한다. 명령을 수행하는 것 이외에 사용자가 자주 쓰거나 정해진 시간에 주로 이용하는 기능을 학습하고 이를 미리 추천해주는 등 맞춤형 편의 기능을 지원하고 있기 때문이다. 삼성전자 역시 대규모 업데이트를 통해 빅스비를 인공지능 플랫폼으로 발전시키고 있다. '빅스비 비전'은 갤럭시 스마트폰 카메라 등에서 번역이나 이미지 검색 등에 활용되고, '빅스비 루틴'은 사용자의 생활 패턴에 맞춰서 다양한 사물인터넷 가전 등을 자동으로 동작할 수 있도록 돕는다.

이처럼 시리와 빅스비의 대결이 플랫폼 대결의 성격을 띠게 되면서 기술 경쟁력의 우위를 결정하는 요소가 이전과 달라지고 있다. 시리가 빅스비보다 앞서 있는 것은 분명하지만, 이제는 두 기업의 인공지능 플랫폼을 사용자들이 실생활에 얼마나 폭넓고 유용하게 활용할 수 있는지가 중요해지고 있는 것이다.

빅스비는 삼성전자의 사물인터넷 플랫폼인 스마트싱스를 빼놓고 이야기할 수 없다. 스마트싱스에 연결된 여러 가전제품과 스마트폰, 웨어러블 기기 등이 모두 빅스비를 통해 작동한다. 삼성전자는 이러한 플랫폼을 중심으로 모든 기기가 연결되어 사용자에게 최적의 서비스를 제공하는 초연결 시대 구축을 중장기 사업 전략의 핵심 비전으로 앞세우고 있다.

한종희 삼성전자 DX부문장은 2023년 1월, CES(The International Consumer Electronics Show, 세계가전전시회) 2023에서 '맞춤형 경험으로 열어가는 초연결 시대'를 주제로 발표했다. 이 자리에서 그는 전 세계에 출시된 삼성전자의 140억 개에 이르는 기기를 하나의 플랫폼으로 연결해 제품의 사용성을 극대화하겠다고 선언했다. 예를 들어 사용자가 영화를 재생하면 집 안의 조명이 저절로 어두워지거나, 노트북으로 화상회의를 시작하면 TV의 음량이 자동으로 줄어드는 식이다.

이러한 활용 예시를 간결하게 보여주는 삼성전자의 광고 영상도 등장했다. 거실에 모여 불을 끄고 영화를 보던 가족들이 고등학교 3학년 수험생의 귀가 알림을 받고 '빅스비, 고3 모드'라는 음성 명령을 내리자 조명과 공기청정기가 켜지고 모든 가족이 무선이어폰으로 조용히 영화를 시청한다는 내용이다. 해당 영상은 한국어 광고 영상으로는 이례적으로 유튜브 공식 채널에서 약 500만 건의 조회수를 기록했다.

이처럼 삼성전자의 장점은 사물인터넷과 인공지능 시대에 두드러지고 있다. 스마트폰뿐만 아니라 여러 웨어러블 기기, 다양한 가

전제품을 생산해 판매하며 스마트싱스 플랫폼에 호환되는 여러 제휴사 제품을 확보하고 있기 때문이다.

특히 코로나19 팬데믹 이후 집에 머무는 시간이 늘어나면서 삼성전자의 초연결 시대 전략은 소비자들의 공감을 얻을 수 있는 최적의 조건을 맞았다. 생활 공간이 넓은 단독주택 형태의 거주지가 많고 재택근무도 일상화된 미국에서는 삼성전자의 사물인터넷과 인공지능 플랫폼 경쟁력이 더욱 중요한 요소로 떠오르고 있다. 삼성전자는 CES 2023을 통해 스마트싱스와 빅스비, 그리고 보안 솔루션 녹스(Knox)를 3대 핵심 플랫폼으로 삼아 소비자들에게 차별화된 통합 연결 경험을 제공하겠다는 계획을 내놓았다. 삼성만의 열린 생태계를 더욱 확장해나가겠다는 포부다.

결국 소비자 경험이 승부를 가를 것

삼성전자가 열린 플랫폼으로 중장기 비전을 수립하고 실행하는 동안 애플 역시 시리를 여러 자체 신사업 분야에 적용하며 활용성을 넓히고 있다. 애플뮤직, 애플TV를 통한 동영상 판매가 대표적이다. 사용자들이 시리로 원하는 콘텐츠를 찾을 수 있게 하고 사용자 취향에 맞춘 콘텐츠도 추천해주면서 시너지를 내도록 한 것이다.

물론 삼성전자와 마찬가지로 애플도 사물인터넷 플랫폼에 연결된 가전기기를 작동시키는 것이 가능하다. 다만 시리를 통해 이용할 수 있는 기기가 삼성전자와 비교해 매우 적다.

삼성전자가 스마트싱스 및 빅스비 플랫폼의 제휴사로 확보한 곳은 1,000곳 이상이다. 반면 애플은 직접 출시하는 제품 종류가 적고 외부 제휴사를 확보하는 데도 소극적이어서 공식 홈페이지 기준으로 전 세계 50여 개의 브랜드 제품이 호환되고 있다고 안내하는 데 그치고 있다. 사물인터넷 플랫폼 경쟁에서는 삼성전자가 유리한 위치를 점하고 있는 것이다.

그러나 플랫폼 경쟁력은 결국 제품이나 서비스 자체의 경쟁력에 좌우된다. 삼성전자가 사물인터넷 지원 제품이나 서비스 측면에서 다양성을 앞세운다고 해도 실제로 소비자가 삼성전자의 여러 제품을 구매하지 않는다면 플랫폼의 경쟁력을 확보하기 어렵다.

반대로 애플과 같이 지원하는 제품 종류가 적지만 다수의 소비자가 원하는 제품이나 서비스를 갖추고 있는 플랫폼이라면 단기간에 가파른 성장을 이뤄낼 수 있다. 아마존의 음성인식 서비스인 알렉사(Alexa)가 단기간에 성장할 수 있던 배경은 아마존이 온라인 전자상거래 및 자체 동영상 플랫폼에서 이미 막강한 지배력을 확보한 데 있었다. 구글 또한 검색 서비스와 빅데이터 경쟁력을 앞세워 음성인식 서비스에서 좋은 성과를 이뤄내고 있다.

결국 삼성전자의 인공지능 및 사물인터넷 플랫폼의 성공 여부는 스마트폰과 TV, 가전제품 등의 수요에 크게 의존할 것이다. 삼성전자가 초연결 경험을 앞세워 차별화된 서비스를 제공한다고 해도 제품 자체가 시장에서 선택받지 못한다면 삼성전자의 비전이 실현되기는 어렵다. 삼성전자가 하드웨어 경쟁력을 바탕에 두고 성장한 제조 기업이라는 근본적 특성을 유지하는 것이 결국 미래 사업에도 중요한 셈이다. 물론 빅스비 기반의 인공지능 기술이 지금보다 더 정확하고 매끄러운 사용자 경험을 제공해야 한다는 과제도 놓쳐선 안 된다.

다시, 애플카 이야기

애플은 시리를 애플카에도 활용할 계획이다. 아이폰 사용자들은 이미 차량에 스마트폰을 연결해 내비게이션이나 콘텐츠 앱 등을 이용할 수 있는 카플레이를 쓸 수 있다. 목적지를 직접 입력하거나 필요한 앱을 실행하는 대신 시리를 불러 대부분의 기능을 동작할 수 있다.

애플카는 여기서 더 나아가 자동차의 주요 기능을 모두 음성으로 동작할 수 있는 '움직이는 스마트폰'이 될 것으로 보인다. 차량 내부 온도와 시트 조절 같은 기능은 물론 자율주행까지 시리를 통해 구현할 수 있다면 사용 경험과 편의성 등 측면에서 기존 자동차 메이커와는 확연히 구분되는 장점을 확보하게 된다.

삼성전자 역시 초연결 시대의 영역을 자동차까지 확대하면서 애플과 스마트카 시장에서 경쟁을 예고하고 있다. 삼성전자는 직접 자동차를 개발하지는 않지만 2016년 인수한 전장부품업체 하만(HARMAN)을 통해 고객사에 고도화된 스마트카 시스템을 공급하겠다는 목표를 세웠다. 삼성전자와 하만이 협업해 개발한 레디케어(Ready-care)가 그 핵심이다.

레디케어는 인공지능 기술을 기반으로 운전자의 상태를 확인하고 안전운전을 지원하는 시스템이다. 가전제품과 스마트폰, 전장부품 등을 하나의 플랫폼으로 연결해 귀가하는 길에 음성 명령으로 집 안의 조명과 온도, 공기 등을 조절할 수 있는 기능도 지원한다. 빅스비와 시리의 대결을 제대로 이해하려면 스마트폰을 넘어 가전과 자동차까지 시야에 두어야 한다.

따로 또 같이, 영원한 프레너미

"애플과 삼성전자는 평생의 프레너미(frenemies) 관계에 놓여 있다."

「로이터」는 스마트폰 시장에서 두 회사가 이어가고 있는 경쟁의 역사를 조명하며 애플과 삼성전자의 관계를 이렇게 정의했다.

프레너미는 친구를 뜻하는 프렌드(friend), 적을 의미하는 에너미(enemy)를 결합한 신조어로 서로 경쟁하면서도 협력하는 관계를 말한다. 프레너미 관계는 서로의 강점을 보완하고 약점을 보완해 새로운 시장이나 기회를 창출할 수 있지만, 서로 기업의 비밀이나 전략을 노출할 위험성이 있다.

애플과 삼성전자의 관계는 앞에서 살펴본 것처럼 숙적에 가깝지만, 그 역사를 돌이켜보면 친구라고도 할 수 있다. 스마트폰을 넘어 플랫폼과 인공지능 등 차세대 IT 기술 분야의 경쟁을 본격화하며 끊임없이 우위를 차지하기 위한 싸움을 이어가고 있지만, 한편으로는 가장 중요한 고객사와 협력사로 서로에게 큰 도움을 주고 있다.

20여 년간 이어진 협력의 역사

애플과 삼성전자 협력의 역사는 2005년으로 거슬러 올라간다. 애플은 당시 하드디스크를 대체할 수 있는 메모리반도체 기반의 저장장치인 낸드플래시를 안정적으로 공급할 수 있는 업체를 찾고 있었다. 당시 삼성전자는 낸드플래시 시장에서 절반에 가까운 점유율을 차지하고 있었다. 스티브 잡스는 소비자용 전자제품 시장에서 지배력을 확보하려면 안정적인 플래시메모리 수급이 필수적이라고 판단해 삼성전자와 장기 공급계약을 체결했다. 당시 삼성전자 전무였던 이재용 회장을 자택으로 초청하는 등 친분을 쌓기도 했다. 이 계약 덕분에 애플의 음악 재생기기 아이팟은 벽돌처럼 무겁고 두툼한 디자인에서 벗어나 목에 걸 수 있는 얇고 가벼운 제품으로 탈바꿈할 수 있었다.

두 회사의 협력은 아이폰으로 이어졌다. 아이폰에는 메모리반도체 공급에 그치지 않고 아이폰의 핵심인 두뇌 역할을 담당하는 시스템반도체인 어플리케이션 프로세서에도 삼성전자의 기술이 활용됐다. 당시 반도체 설계 기술이 부족했던 애플은 삼성전자에서 초기 아이폰용 프로세서를 사들였다. 또한 자체적으로 프로세서 개발을 시작한 뒤에도 아이폰6S를 출시한 2015년까지 삼성전자에 상당량의 반도체 위탁생산을 맡겼다.

공고할 것만 같았던 삼성과 애플의 협력은 2017년, 일명 칩게이트(chipgate) 사건을 계기로 흔들리기 시작했다. 칩게이트는 아이폰6S가 기기별로 배터리 지속 시간 등 사양에 차이가 있다는 의혹이 제기되면서부터 불거진 사건이다. 다수의 언론과 사용자들은 프로세서 제조사가 삼성전자냐 TSMC냐에 따라 아이폰6S의 성능 차이가 발생한다고 지적했다.

핵심은 삼성전자가 생산한 프로세서를 탑재한 아이폰의 성능이 떨어진다는 것이었다. 물론 삼성과 애플 모두 이를 인정하지 않았고, 〈컨슈머리포트(Consumer Reports)〉 등 외부 기관의 조사에서도 두 종류의 아이폰 성능 간에 유의미한 차이가 없다는 점이 확인됐다. 그러나 이미 논란은 걷잡을 수 없이 확산된 후였다. 결국 애플은 이런 논란을 의식한 듯 이듬해 출시한 아이폰7부터 TSMC의 파운드리만을 활용하기로 했다.

다만 D램과 낸드플래시 등 메모리반도체 분야에서 삼성전자와 애플의 협력은 한동안 더 이어졌다. 삼성전자가 해당 분야에서 세계 1위 기업으로 막강한 영향력과 안정적 공급 능력을 모두 확보하고 있었기 때문이다.

애플은 2017년에 출시한 아이폰X부터 LCD(액정표시장치) 대신 올레드 디스플레이를 적용했는데, 이를 계기로 애플과 삼성 사이에는 다시 새로운 협력 관계가 만들어졌다.

삼성전자의 자회사인 삼성디스플레이는 스마트폰에 사용되는 중소형 올레드 패널의 기술력 및 양산 능력에서 다른 경쟁사를 압도하고 있었다. 이미 삼성전자는 갤럭시 스마트폰에 올레드 디스플레이를 적용해왔는데, 애플도 결국 이를 따르기로 한 것이다. 애플은 디스플레이와 같은 핵심 부품에서 단일 공급사에 의존하는 것을 선호하지 않았고, 아이폰의 생산 단가를 고려해 올레드 탑재를 장기간 미뤄왔었다. 그러나 스마트폰 하드웨어 기술이 상향평준화되면서 전력 효율과 응답 속도, 두께와 화질 등이 상대적으로 떨어지는 LCD 패널을 고집하기는 어려웠다.

현재 애플은 아이폰에 이어 아이패드, 맥북에도 올레드 적용을 추진하고 있다. 전 세계적으로 태블릿PC 및 노트북에도 올레드 패널 적용이 일반화되기 시작하면서 애플에게 삼성이 더욱 중요한 협력사가 되는 것은 불가피한 흐름이다. 물론 LG디스플레이와 중국 BOE 등 다른 기업도 애플에 올레드 패널을 공급하지만, 전 세계 시장 절반 이상을 점유하고 있는 삼성디스플레이의 영향력은 여전히 막강하다. 애플이 폴더블 아이폰 출시를 검토하게 된다면 삼성디스플레이의 폴더블 올레드 수급은 사실상 필수 옵션이다. AR 기기나 애플카에 활용되는 차세대 디스플레이 분야에도 협력이 논의될 가능성은 충분하다.

애플이 삼성과 손잡을 수밖에 없는 이유

두 업체의 협력 관계에서 앞으로 주목할 지점은 삼성전자가 반도체 파운드리 사업에서 애플을 고객사로 되찾을 수 있을지 여부다.

삼성전자가 애플의 프로세서를 생산하던 당시, 삼성전자의 파운드리 사업 연매출에서 애플이 차지하는 비중은 한때 90% 안팎에 이르렀다. 물론 파운드리 시장 상황이 많이 달라졌고 지금은 삼성전자도 다른 고객사를 여럿 확보한 상태다.

하지만 애플은 여전히 삼성전자에 매우 중요한 잠재 고객사다. 애플의 프로세서는 TSMC 매출에서 가장 큰 비중을 차지하고 있는 만큼 애플 반도체 위탁생산 수주는 삼성전자가 TSMC를 추격하는 데도 중요한 계기가 될 것이다. 더구나 애플은 세계 IT 산업에 중심 역할을 하는 기업인 만큼 애플이 삼성전자의 3나노 미세공정 등 첨단기술을 활용하기 시작한다면 엔비디아와 퀄컴, AMD 등 다른 대형 고객사들도 삼성전자 파운드리에 위탁생산 확대를 본격적으로 검토할 수 있다.

물론 애플은 칩게이트 논란이 재점화할 가능성과 삼성전자와의 경쟁 상황을 의식할 수밖에 없다. 그러나 파운드리 기술 고도화에 따른 단가 상승, 지정학적 리스크 확대 등 애플이 TSMC에만 의존하기 어려운 상황이 벌어지고 있다. 애플은 당장은 TSMC의 대만 공장과 미국에 신설되는 공장에서 모두 반도체를 수급하겠다는 계획이다. 그러나 TSMC는 가장 앞선 미세공정 기술을 도입하는 생산 라인은 대만에만 유지하겠다는 방침을 고수하고 있다. 애플로서는 리스크를 분산하기 위해서라도 삼성전자의 파운드리 협력을 고려하지 않을 수 없을 것이다.

또한 반도체 파운드리 공정 기술 발전에 따라 단가가 상승하면서 애플 입장에서는 여러 곳의 파운드리 공급 업체를 활용해 가격 경쟁을 유도해야 하는 상황이다. 글로벌 주요 반도체 설계 기업은 이미 이러한 상황을 충분히 고려해 TSMC가 사실상 전담하던 첨단 공정 시스템반도체 위탁생산 물량을 삼성전자에 단계적으로 나누어 맡기는 방안을 검토하고 있다. 애플도 자연히 이들과 같은 고민을 하게 될 것이다.

애플 내에 또 다른 움직임도 감지되고 있다. 최근 들어 부품 공급망 일부를 내재화하려는 움직임이 그것이다. 애플은 반도체 분야에서 5G 모뎀, 블루투스와 와이파이 등 통신 반도체를 퀄컴이나 브로드컴 등 외부 기업에서 사들이는 대신 자체적으로 설계하는 비중을 늘리고 있다. 이런 과정에서 위탁생산을 맡겨야 하는 반도체 물량도 늘어날 수밖에 없는 만큼 삼성전자의 수주 기회는 더욱 확대될 수 있다.

삼성전자와 애플은 여러 사업 분야에서 끊임없이 경쟁하는 가운데도 각자의 경쟁력을 높이기 위해 협력을 더욱 확대할 수밖에 없는 프레너미 관계다. 부품 공급망 수직계열화 구조를 더욱 발전시키는 삼성전자의 전략과, 자체 생태계에 연결되는 다양한 제품의 경쟁력을 높이려는 애플의 전략은 모두 두 회사의 협력을 통해서만 완성될 수 있다. 삼성전자와 애플의 경쟁과 협력은 양사가 각자의 분야에서 성장하고 소비자들도 기술 발전의 혜택을 누리도록 하는 데 기여하고 있다.

레거시를 넘어서는 자가 승리한다

"Think Different(다름을 생각하라)."

"바꾸려면 철저히 바꿔라. 극단적으로 얘기해 마누라와 자식 빼고 다 바꿔라."

첫 번째 문장은 애플이 2000년 전후로 브랜드 및 제품 광고에 내걸었던 슬로건이다. 두 번째는 이건희 전 회장이 삼성전자의 역사에 가장 중요한 행사로 남은 프랑크푸르트 신경영 선언에서 내놓은 말이다. 두 문장은 스티브 잡스 애플 창업주와 이건희 전 회장의 경영 철학을 가장 명료하게 보여주는, 또 두 회사에 장기적으로 큰 영향을 미친 유명한 표현이다.

애플의 슬로건은 스티브 잡스가 직접 만들어낸 것은 아니지만 여러 가지의 후보를 놓고 검토한 끝에 선택한 문구다. 그는 1997년, '기본으로 돌아가겠다'는 목표를 강조했다. 그리고 애플의 전체 제품 라인업 가운데 70%를 과감히 포기하고 나머지 30%의 핵심 프로젝트에 집중하겠다고 밝혔다. 시장에 출시한 제품이 늘어나자 재고와 유통채널 관리에 지나치게 역량이 투여됐고, 이런 구조로는 소비자들이 요구하는 혁신에 대응하기 어렵다고 본 것이다. 스티브 잡스는 마케팅의 핵심 목표가 회사의 정체성과 중심 가치를 보여주는 일에 있다며, 소비자들이 세상을 더 나은 방향으로 바꿔 나가는 데 기여하겠다는 뜻을 'Think Different'라는 슬로건에 담았다고 설명했다.

당시 애플의 최대 경쟁사였던 IBM은 1911년부터 'Think'라는 슬로건을 쓰고 있었다. 스티브 잡스의 'Think Different'는 라이벌 기업을 겨냥해 애플의 차별화를 강조한 표현이기도 했다. 이듬해인 1998년 출시된 모니터 일체형 컴퓨터 아이맥 G3는 조약돌을 연상시키는 유선형 디자인과 다섯 가지의 색상, 투명한 케이스 등이 특징이다. 이전까지 '흰색 네모 박스'에 불과하던 컴퓨터 디자인의 고정관념을 깬 제품으로, 애플 역사상 최고 히트상품 가운데 하나다. 이후 출시된 맥북과 아이팟, 아이폰 등 스티브 잡스 시대의 애플에서 내놓은 신제품에는 그의 경영 철학이 반영되었고, 애플이 세계 전자업계 최고의 혁신기업이라는 명성을 얻는 데 기여했다.

1993년, 이건희 전 회장은 독일 출장을 떠났다. 출장지였던 프랑크푸르트로 주요 임원과 해외 주재원을 긴급 소집한 그는 그 자리에서 프랑크푸르트 신경영 선언을 내놓았다. 이 전 회장은 한국 최고 기업으로 꼽히던 삼성전자와 계열사를 '암에 걸린 환자'로 비유하여 충격을 던졌다. 삼성전자 제품의 높은 불량률과 비효율적 의사결정 체계, 구시대적인 조직 문화 등이 글로벌 시장에서 경쟁력을 확보하기 어려운 원인이라고 지적하고, 대대적 변화를 천명한 것이다. 그때 나온 발언이 바로 "마누라와 자식 빼고 다 바꾸겠다는 각오 없이는 삼성의 미래를 장담할 수 없다"이다.

삼성은 프랑크프루트 선언 이후 이건희 회장의 주문대로 여러 변화를 시도했지만, 이를 실제 결과로 만들어내는 일은 쉽지 않았다. 수십 년 동안 이어져오던 업무 방식과 조직 문화를 당장에 바꾸기란 불가능에 가까웠고, 모든 임직원이 변화의 필요성을 실감할 만한 계기도 충분하지 않았다. 프랑크푸르트 선언 이후에도 삼성은 오랜 시간 시행착오를 겪어야 했다. 그러나 이 말은 삼성전자의 제품 품질 개선과 이건희 전 회장의 과감한 성장 전략에 확실히 밑거름이 되었고, 이런 점에서 큰 의미가 있다.

후계자들에게 남겨진 숙제들

앞에서 언급한 것처럼 현재 애플 CEO를 맡고 있는 팀 쿡은 애플이 자체 공장과 물류창고 운영을 중단하고 모든 제품을 위탁생산 업체에 맡기는 사업 구조를 구축한 인물이다. 이를 통해 애플은 전 세계적으로 급증하는 애플 상품의 수요에 효율적으로 대응할 수 있게 됐다. 애플의 성장을 실질적으로 주도한 것은 팀 쿡이라고 해도 지나친 표현이 아니다. '혁신가'에 가까웠던 스티브 잡스와 달리 팀 쿡은 하드웨어 전문가였던 만큼 애플의 조직 성격은 이전과 달라졌다. 이는 애플이 아이폰 이후 진정한 혁신을 선보이지 못했다는 평가를 받는 주요 원인이기도 하다.

하지만 그는 자신의 장점을 살려 아이폰의 생태계를 애플워치와 에어팟 등 액세서리, 애플뮤직과 애플페이 등 서비스로 확장해나가면서 효율적인 성장을 이끌어냈다. 애플의 연매출 규모가 2010년 654억 달러에서 2022년 3,943억 달러로 급상승한 것이 그 증거다.

삼성전자의 이재용 회장은 2022년 말 회장에 취임했다. 선대 회장이 갑작스러운 심근경색으로 입원한 2014년부터 사실상 삼성의 경영 전면에 나섰지만, 삼성가의 전통과 국정농단 사태 등에 관련한 재판 등 여러 상황을 고려해야 했던 만큼 정식으로 회장직을 승계까지는 오랜 기간이 걸렸다.

팀 쿡 CEO 취임 후 애플 연간 매출/영업이익 추이

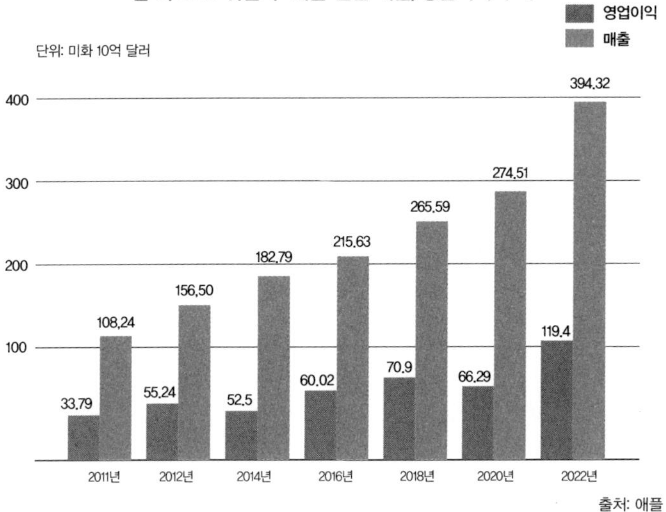

출처: 애플

이재용 회장 경영총괄 이후 삼성전자 연간 매출/영업이익 추이

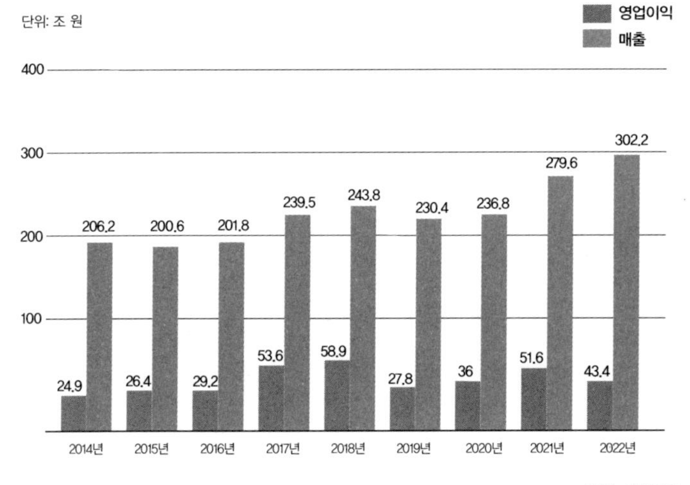

출처: 삼성전자

이재용 회장은 삼성의 미래가 걸린 5대 신수종 사업으로 의료기기와 LED, 바이오, 2차전지, 태양광을 제시하고, '시스템반도체 비전 2030'을 통해 반도체 파운드리를 비롯한 시스템반도체 분야에서 1위를 달성하겠다는 목표를 제시했다. 삼성전자가 이재용 회장 주도로 2016년 인수한 전장부품 업체 하만도 삼성전자와 협업을 통해 스마트카 관련 시장에서 기술 경쟁력을 강화하는 등 긍정적 성과가 이어지고 있다.

팀 쿡과 이재용 회장은 각각 창업주인 스티브 잡스와 이건희 선대 회장의 기업 철학을 승계하면서도 이를 애플과 삼성전자의 현재 사업 구조와 전략, 시장 상황에 맞춰 최적화하는 과제를 안고 있다. 삼성전자와 애플의 핵심 사업이 모두 이건희 전 회장과 스티브 잡스가 일구어낸 것이라는 점은 이들 후계자를 향한 비판의 이유가 되기도 한다. 이재용 회장은 반도체와 스마트폰 다음의 성장동력을 아직 확실하게 찾아내지 못했고, 팀 쿡 역시 아이폰에 사업 대부분을 의존하고 있다. 이재용 회장과 팀 쿡은 결국 반도체와 스마트폰을 넘어설 확실한 새 성장동력을 찾아내 경영 능력을 증명해야 하는 비슷한 처지에 놓여 있는 것이다.

현재 삼성전자와 애플은 세계적인 지정학적 불확실성과 경제적 리스크 확대, 기존 사업의 성장 둔화 등으로 새로운 도전을 맞고 있다. 더이상 과거의 성공에 기댈 수 없다. '철저히 바꾸라'는 이건희 회장의 말과, 스티브 잡스의 슬로건 'Think Different'가 두 기업에 모두 더욱 절실한 교훈으로 떠오르고 있는 셈이다.

삼성과 애플의 프레너미 관계는 현재진행형이며 앞으로도 계속될 것이다. 미래에 확실하게 대비하며 경쟁력을 키워내는 기업이 더욱 확실한 우위에 놓일 수 있다. 이는 친구 관계에서도, 라이벌 관계에서도 모두 상대방을 통해 이득을 거둘 수 있는 길이기 때문이다.

제3장

VS. 인텔

삼성 인사이드의
꿈

윈텔 연합의 흥망성쇠

1990년대는 개인용 컴퓨터의 전성기였다. 가정과 직장에 보급된 개인용 컴퓨터는 사람들이 일하는 방식은 물론, 읽고 쓰며 여가를 보내는 형태까지 바꿔놓았다. 이후 인터넷의 등장은 전 세계를 하나의 공간으로 묶는 온라인의 시대를 열었고, 이는 PC의 폭발적 수요로 이어졌다. PC의 전성기는 곧 윈텔(Wintel) 연합의 전성기였다.

윈텔은 마이크로소프트 윈도 운영체제와 인텔 CPU의 연합을 뜻하는데, PC 대중화의 역사는 곧 두 회사의 오랜 협력의 역사와 같다. 인텔의 흥망성쇠를 이해하려면 PC의 전성기 때로 거슬러 올라가야 한다.

마이크로소프트가 출시한 그래픽 인터페이스(GUI) 기반의 운영

체제와 성능 및 가격 경쟁력을 갖춘 인텔 CPU의 등장은 컴퓨터 대중화의 길을 열었다. 당시 애플은 맥 시리즈와 자체 운영체제로 나름의 시장을 형성하고 있었지만 윈텔 연합에게는 역부족이었다. 애플이 자체적으로 설계하고 제조해 판매하는 매킨토시와 달리 마이크로소프트의 윈도와 인텔의 CPU는 어떤 제조사의 컴퓨터에도 탑재될 수 있는 범용성이 장점이었다. PC 시대에 윈텔 연합의 제품은 사실상 업계의 표준이었고 거스를 수 없는 중력이었다. 두 기업의 동맹에 대적할 상대가 없어 보였다. 대부분의 가정과 기업에서는 윈도 기반으로 움직이는 컴퓨터가 하나의 가구로 자리 잡았고, 자연히 대부분의 소프트웨어는 윈도와 인텔 CPU에 최적화된 형태로 출시됐다.

그러나 모두가 알다시피, 영원할 것만 같던 윈텔의 시대도 스마트폰이 대중화되면서 조금씩 저물어갔다.

모바일 퍼스트가 불러온 지각 변동

윈텔 시대가 저문 이유는 여러 가지가 있겠지만 IT 시장의 중심이 PC에서 모바일로 이동한 것이 가장 크다. 스마트폰, 태블릿이 PC의 역할을 대체하면서 PC 시장은 깊은 침체기에 빠져들었다. 게임과 동영상을 비롯한 다양한 콘텐츠와 소프트웨어 들이 모바일 제품에 최적화된 형태로 개발되면서 자연스럽게 PC에 대한 수요가 줄어들었기 때문이다. 그런데 마이크로소프트와 인텔은 이런 변화를 간과했다. 두 기업은 윈텔 연합의 경쟁력을 과신한 나머지 모바일용 운영체제와 반도체 개발에 소홀했고, 변화를 깨달았을 때는 이미 경쟁자들이 저만치 앞서나가고 있었다.

애플은 디스플레이 일체형 컴퓨터 아이맥과 휴대성을 높인 노트북 맥북 시리즈를 내놓으며 윈텔 연합의 강력한 대항마로 성장했다. 여기에 아이폰의 탄생은 윈텔 연합에 결정타였다. 아이폰 보급이 어느 정도 확대된 뒤에는 아이폰과 맥 컴퓨터 간의 다양한 연계 기능이 차별화 포인트로 부각됐다. 아이폰을 구매한 소비자들은 맥 시리즈에서만 이용할 수 있는 통화, 메시지, 소프트웨어 연동 기능에 익숙해지면서 윈도와 인텔 CPU 기반의 컴퓨터에 더 이상 매력을 느끼지 못했다. 또한 인텔은 PC용 프로세서 시장에서 미세공정 기술을 빠르게 높여나가던 AMD에 시장 점유율을 빼앗기고 있었다.

2016년, 마이크로소프트는 퀄컴의 모바일용 프로세서인 스냅드래곤에 윈도우10을 지원하겠다고 발표했다. 윈텔 시대의 종말을 상징적으로 보여주는 사건이었다. 「월스트리트저널」은 이를 두고 "결혼 생활과도 같았던 윈도 운영체제와 인텔 CPU의 연합은 두 기업이 애플 아이패드와 같은 제품에 대적할 휴대용 제품을 개발하지 못한 것을 계기로 균열을 보이기 시작했다"고 평가했다.

반면 같은 시기, 삼성전자는 인텔과 달리 모바일 흐름에 가장 적극적으로 올라탔다. 그리고 가장 영향력 있는 반도체 기업으로 성장했다. PC용 D램과 SSD 등이 삼성전자의 매출에 여전히 큰 비중을 차지하고 있지만 모바일 시장이 열어준 사업 기회는 이보다 훨씬 컸다. 삼성전자는 자체 스마트폰용 프로세서 출시를 계기로 통신모뎀 반도체와 인공지능 반도체, 이미지센서 등 다양한 시스템반도체 시장에도 본격적으로 도전했다.

시스템반도체 사업에서 삼성전자와 인텔은 주력 상품을 직접 개발하고 제조하는 종합 반도체 기업을 지향한다. 자동차용 반도체와 산업용 반도체 등을 생산하는 일부 기업을 제외하면 이러한 사업 구조를 갖추고 있는 경우는 흔치 않다.

반도체 설계와 생산을 총괄한다는 것은 곧 제품 출시 시기와 가격 책정에서 주도권을 확보할 수 있다는 뜻이다. 인텔이 PC용 프로세서 시장에서 단기간에 지배력을 높일 수 있었던 이유 역시 종합 반도체 기업이었기 때문이다. 삼성전자는 모바일 중심의 반도체 시대를 맞아 과거 인텔이 택한 전략을 차용해 시장을 주도하는 기업으로 입지를 다졌다.

인텔 인사이드에서
삼성 인사이드로

인텔은 1991년, '인텔 인사이드(Intel Inside)'라는 슬로건을 내세웠다. PC 중심의 시대에 자사의 반도체가 거의 모든 컴퓨터에 사용되고 있다는 점을 강조하는 자신감의 표현이었다.

2010년대에 '삼성 인사이드'의 시대가 열렸다. 삼성전자는 모바일용 메모리반도체와 시스템반도체를 직접 개발, 생산해 자사 스마트폰에 탑재했다. 외부 고객사에도 활발히 관련 제품을 공급하며 업계 강자 자리에 올랐다. 삼성전자는 사물인터넷과 인공지능, 자율주행 등 4차 산업혁명 분야에서도 현재의 입지를 지켜나가고, 궁극적으로 시스템반도체 분야에서 TSMC를 제치고 1위 기업에 오르겠다는 중장기 시나리오를 세웠다.

"인텔이 삼성전자에 반도체 1위를 내준 것은 미국이 '한방'을 먹었다는 의미다. 투자자들은 이를 인텔의 전성기가 끝났다는 의미로 받아들이고 있다. 반도체 시장의 빠른 발전 속도를 고려한다면 이미 빼앗긴 선두를 되찾는 길은 가파르고 험난할 수밖에 없다."

「블룸버그(Bloomberg)」는 2022년 인텔과 삼성전자의 매출 순위 변동을 조명하는 기사에서 인텔의 몰락은 누구도 예상하지 못했던 일이며, 삼성전자에 선두를 내준 사건은 매우 중요한 전환점이라고 평가했다. 미국 반도체 산업이 한국, 대만에 밀리기 시작하면서 위기를 맞고 있다는 점도 지적했다.

그러나 삼성전자가 반도체 매출에서 1위 자리를 두고 인텔과 경쟁 구도를 펼치게 된 것은 반도체 산업의 오랜 역사에 비춰보면 비교적 최근의 일이다.

삼성전자는 2017년 시장조사기관 〈가트너(The Gartner Group)〉 집계 기준, 사상 처음으로 연간 매출에서 인텔을 제치고 1위 자리에 올랐다. 당시 글로벌 반도체 시장은 그 규모가 전년 대비 21.6% 증가할 정도로 호황기였다. 특히 메모리반도체 수요가 단기간에 급증하면서 가격이 함께 상승했다. 삼성전자는 D램과 낸드플래시 등 메모리반도체 1위 기업인 만큼 업황 호조의 가장 큰 수혜를 봤다. 이 덕분에 근소한 차이로 인텔을 제치고 매출 1위를 차지할 수 있었던 것이다. 인텔은 2017년 이전 25년 동안 지켜온 자리를 삼성전

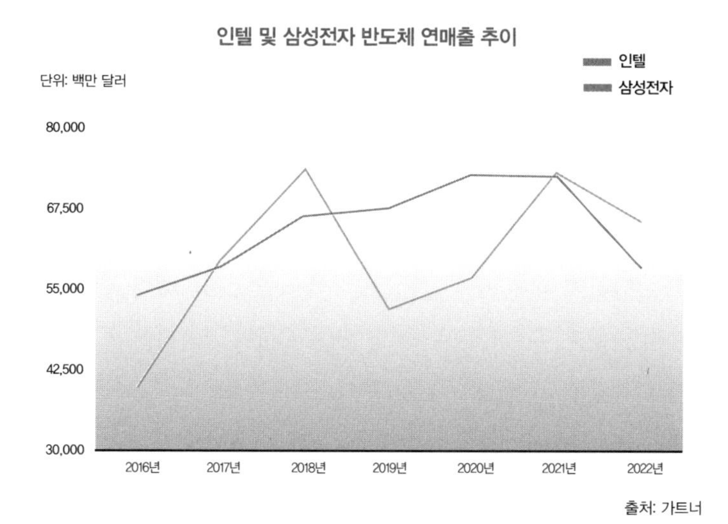

출처: 가트너

자에 내주며 자존심에 큰 상처를 입었다.

다만 가격 변동성이 큰 메모리반도체 업황의 특성상 삼성전자의 반도체 매출은 해마다 큰 편차를 나타냈다. 이듬해인 2018년 삼성전자는 인텔과 격차를 더 벌리며 1위 자리를 지켰으나 2019년에는 매출이 전년 대비 30% 가까이 줄면서 인텔에 다시 선두 자리를 내줬다. 2년 후인 2021년 다시 간발의 차이로 인텔을 제쳤지만 두 기업의 엎치락뒤치락하는 경쟁은 지금도 계속되고 있다.

최근에는 반도체 시장 판도가 더욱 복잡해졌다. 파운드리 호황으로 2022년 TSMC의 매출은 2조 2,600억 대만달러, 우리 돈으로 약 93조 원을 기록했다. 전년 대비 42.6%에 이르는 기록적 성장세였다. 삼성전자의 반도체 매출은 98조 4,600억 원으로 TSMC의 추격을 가까스로 따돌렸고 인텔도 제쳤지만, 이제는 선두를 지켜내려면 두 기업 모두와 대결해야 한다. TSMC의 가파른 성장세가 계속 이어진다면 삼성전자의 1위 수성은 어려워질 수도 있다.

한편, 인텔 역시 2021년 파운드리 시장에 본격적으로 뛰어들겠다고 선언하며 향후 10년 동안 200억 달러를 투자하겠다고 밝혔다. 인텔이 파운드리에서 본격적으로 매출을 내기 시작한다면 선두 경쟁은 더욱 치열해질 것이다.

매출 비중을 보면 미래를 읽을 수 있다

삼성과 인텔의 반도체 경쟁력을 알아보기 위해서는 두 기업의 반도체 분야 매출 비중을 살펴볼 필요가 있다.

2022년 기준으로 인텔의 PC용 프로세서를 담당하는 소비자용 컴퓨팅 그룹의 매출은 전체 매출의 50%를 차지한다. 데이터서버에 쓰이는 반도체는 30% 안팎이다. 사실상 두 사업이 인텔의 전체 실적을 받쳐주는 기둥이다. 인텔의 PC용 프로세서는 일반적으로 소비자가 노트북이나 데스크톱 컴퓨터를 구매할 때 성능의 기준으로 따지는 i3, i5, i7 등의 CPU를 말한다. 서버용 프로세서는 데이터센터에서 고성능 슈퍼컴퓨터와 대규모 연산 등에 쓰이는 반도체로 수년 전까지만 해도 해당 시장에서 인텔의 점유율은 90%가 넘었다. 이외에 자동차용 반도체와 5G 네트워크 반도체 등에서도 매출이 발생하지만 그 비중은 크지 않다.

앞서 살펴본 것처럼 인텔은 오랫동안 CPU의 대명사였다. 그래서 메모리반도체 전문 기업, PC 제조사 등의 신제품 출시 일정은 사실상 인텔의 새로운 CPU 출시 시점에 따라 결정됐다. 자연히 인텔은 시장에서 절대적인 가격 결정권을 쥐고 매출과 수익 모두를 챙겨왔다. 그러나 PC용 반도체 성공에 안주하던 인텔은 모바일의 성장 가능성을 간과했고, 신산업 분야에도 한발 늦게 대응하고 말았다.

반면 삼성전자는 D램과 낸드플래시, SSD 등 메모리반도체는 물론 자체적으로 설계하는 모바일 프로세서(AP)와 이미지센서, 시스템반도체 파운드리 등 다양한 사업을 동시에 영위하고 있다. 이는 삼성전자가 인텔보다 더 폭넓은 영역에서 영향력을 키울 수 있는 잠재력을 가졌다는 뜻이다.

하지만 삼성전자가 실질적인 시장 주도권을 확보하려면 해결해야 할 난제가 적지 않다. 글로벌 경쟁사들과 비교하면 시스템반도체 분야에서 기술력이 여전히 떨어진다. PC 시장에서 인텔이 누린 지위를 확보하기 위해서는 자율주행 반도체와 인공지능 반도체 등 차세대 주요 산업에서 '두뇌' 역할을 하는 시스템반도체의 설계 경쟁력을 확보해야 한다.

'시스템반도체 비전 2030'은 삼성전자가 앞으로 10년 안에 시스템반도체 분야에서 세계 1위에 오르겠다는 계획을 담고 있다. 이는 삼성전자가 글로벌 반도체 매출 선두를 유지하고 있던 상황에서 발표되었다는 점에서 큰 의미가 있다. 삼성전자가 메모리반도체 분야에서 큰 매출을 올리고 있지만 이에 만족하지 않겠다는 의지를 표명한 것이다. 애초 삼성전자는 2030년까지 시스템반도체에 133조 원을 투자하겠다고 했는데, 2021년 발표에서는 이 금액이 171조 원으로 크게 불어났다. 최근에는 용인 반도체 클러스터 한 곳에만 2042년까지 300조 원 넘는 투자가 이뤄질 것이라는 발표도 나왔다.

인텔, 엔비디아, AMD, 퀄컴 그리고 TSMC가 지배하고 있는 시스템반도체 분야에서 삼성전자의 도전은 점차 본궤도에 오르고 있다. 이미 파운드리 사업에서 일부 결실을 맺고 있으며, 시스템반도체 설계 분야에서도 인공지능 반도체 등 다양한 분야에서 경쟁력을 확보하기 위한 연구개발 투자를 늘리고 있다. 이를 두고 삼성전자는 "메모리반도체 분야에서 기술 절대우위를 유지하는 동시에 시스템반도체를 육성해 반도체 산업 전반에서 리더십을 공고히 하겠다"고 전략 방향성을 밝혔다.

인텔의
결정적 패착

「월스트리트저널」은 '인텔 낫 인사이드(Intel Not Inside)'라는 제목의 기사에서 모바일 시장 진출에 소홀했던 인텔의 과거를 두고 "치명적 실수를 저질렀다"고 평가했다. AMD와 같은 경쟁사가 영향력을 갖추기 전까지 전 세계 거의 모든 PC와 노트북에는 '인텔 인사이드'라는 로고가 붙어 있었다. 「월스트리트저널」은 모바일 시대로 넘어오면서 인텔이 더 이상 이런 위치에 있지 않다는 점을 꼬집은 것이다.

인텔의 모든 역사를 통틀어 가장 아쉬운 선택으로 남을 사건이 있다. 2007년이었다. 애플이 아이폰의 두뇌 역할을 하는 모바일 프로세서 개발과 생산을 맥북에 탑재하는 CPU를 공급하고 있던 인텔에 의뢰했는데, 인텔은 이를 거절했다. 아이폰의 잠재력을 과소 평가한 것이다.

나비효과

애플은 이를 계기로 자체 프로세서 설계에 매달렸다. 그 결과 현재 아이폰에 탑재되는 프로세서 A 시리즈는 모바일 시장에서 성능과 전력 효율이 가장 우수한 프로세서로 평가받고 있다. 애플은 맥북, 아이맥 등 자사 컴퓨터에 더 이상 인텔의 프로세서를 사용하지 않으며 직접 개발한 반도체를 사용하고 있다. 인텔의 거절은 결국 애플의 프로세서 설계 기술을 쌓는 데 도움이 됐고, 이는 인텔에게 핵심 고객사였던 애플을 잃는 결과로 이어졌다. 부질없는 가정이지만, 그때 인텔이 애플의 제안을 받아들였다면 인텔은 모바일 반도체 시장에서 절대적 지위를 확보하며 PC용 CPU 시장의 성공 신화를 모바일에서도 이어나갔을 것이다.

그러나 한 번의 잘못된 판단이 반도체 시장의 경쟁 구도를 완전히 바꿔놓았다. 인텔의 거절은 아이폰용 반도체 위탁생산을 맡은 TSMC의 파운드리 기술 발전으로 이어졌고, 삼성전자에게는 스마트폰용 프로세서 설계와 제조를 모두 담당하는 사실상 유일한 기업이 되는 기회를 열어줬다. 인텔이 애플과 모바일 분야 협력을 포기한 것은 회사의 운명을 바꾼 결정이었다.

인텔의 모바일 시장 진출이 늦어지면서 반사이익을 본 또 하나의 기업은 ARM(Advanced RISC Machine)이다. ARM은 직접 반도체를 설계하지는 않으며, 고객사가 반도체 개발에 활용하는 설계 기반(아키텍처, architecture)을 제공하는 기업이다. 건물을 지을 때 설계 도면을 제공하는 것에 비유할 수 있다. 삼성전자, 애플, 퀄컴, 미디어텍 등이 모두 ARM의 핵심 협력사이자 고객이다. 이들이 개발하는 스마트폰과 태블릿PC용 프로세서는 ARM에서 제공한 아키텍처를 기반으로 설계된다. ARM의 아키텍처는 인텔이 사용하는 x86 아키텍처와 비교해 전력 효율, 비용, 크기 면에서 장점을 갖고 있다. 단점도 있다. x86에 비해 고성능 작업에 적합하지 않고 호환성이 떨어진다. ARM의 반도체 아키텍처는 최근 들어 모바일 기기를 넘어 PC와 데이터서버, 슈퍼컴퓨터, 자율주행차의 반도체 개발에도 폭넓게 사용되고 있다. ARM은 스마트폰용 반도체 아키텍처 사업에의 의존을 낮추고 신산업 분야에서 성장동력을 확보하겠다는 목표를 발표한 바 있다.

이처럼 ARM이 사업 다변화에 속도를 내는 이유는 인텔을 반면교사로 삼았기 때문이다. 모바일 시장에서 절대적인 지배력을 차지하는 ARM이지만, 인텔이 PC 시장의 성과에 안주했던 것처럼 모바일에 매몰된다면 차세대 반도체 시장의 주도권을 경쟁사에 뺏길 수 있다는 위기의식을 갖고 있다.

5G 사업, 너마저

인텔이 마냥 손을 놓고 있었던 것은 아니다. 뒤늦게나마 모바일 분야에 승부를 건 적이 있다. 2011년, 인텔은 스마트폰용 프로세서 아톰(Atom) 시리즈를 필두로 스마트폰과 태블릿 시장을 겨냥한 반도체 제품을 출시했다. 그러나 이미 퀄컴과 미디어텍 등 선두 기업들이 선점 효과를 누리고 있던 만큼 후발주자로 고객사를 확보하기에는 한계가 있었다. 여기에 아톰 시리즈는 전력 효율 등 성능 측면에서 경쟁력이 떨어진다는 평가를 받았다. 결국 인텔은 2018년 "5G는 인텔에서 시작된다"고 선언하며 스마트폰용 프로세서가 아닌 5G 통신모뎀 반도체에 집중하는 쪽으로 방향을 틀었다.

마침 당시는 5G 상용화가 임박한 시점이었던 만큼 인텔이 관련 분야의 핵심 반도체 공급사로 자리 잡아 모바일 시장 진출의 패착을 만회하겠다는 의지는 컸다. 이를 위해 인텔이 5G 통신 반도체 연구개발에 투자한 금액은 수십억 달러에 이르는 것으로 추정된다.

하지만 5G 반도체 역시 인텔보다 경쟁사의 기술적 우위와 시장 선점 효과가 더 빛을 발했다. 퀄컴은 모바일 시장의 경험을 바탕으로 통신 반도체 분야에서도 스마트폰 제조사들과 긴밀한 협력 관계를 유지해 인텔의 공격으로부터 주요 고객사를 지켜냈다. 삼성전자, 화웨이(Huawei) 역시 이미 5G 통신의 성장 잠재력에 주목해 자체 5G 반도체 개발에 역량을 집중하고 있었다.

결국 인텔의 5G 통신 반도체 시장 도전은 약 1년 만인 2019년에 해당 사업부를 애플에 매각하면서 끝났다. 매각 금액은 10억 달러였다. 인텔이 그동안 쏟아 부은 투자 금액에 비춰보면 헐값이었다.

인텔을 반면교사 삼아야 하는 이유

모바일 시대의 도래는 삼성전자에게 큰 성장 기회였다. 스마트폰을 중심으로 부품 수직계열화 구조를 갖춘 삼성전자는 핵심 성능을 결정하는 프로세서 등 시스템반도체 경쟁력 확보에 매진했다. 그리고 이는 통신 반도체와 이미지센서 등 더 다양한 반도체 연구개발로 이어졌다. 현재는 인공지능 반도체와 자동차 인포테인먼트용 프로세서 등 스마트카와 자율주행차 등 새로운 시장에 대응할 수 있는 시스템반도체 개발도 활발히 진행 중이다.

삼성전자가 반도체 파운드리 사업에서 TSMC에 이어 2위 기업이 될 수 있었던 것도 결국 자체 프로세서의 경쟁력을 높이는 과정에서 얻게 된 성과라고 할 수 있다. 시스템반도체의 성능은 설계 기술과 제조 기술에 모두 영향을 받는다. 따라서 삼성전자가 두 기술에 모두 경쟁력을 갖추려는 노력이 빛을 발하게 된 셈이다. 삼성전자는 메모리반도체에 이어 다양한 시스템반도체 경쟁력을 확보해 완전한 엔드투엔드(end-to-end) 솔루션을 공급하는 기업을 꿈꾸고 있다.

이를 위해서는 인텔과 달리 스마트폰을 넘어 차세대 분야에서 선제적인 반도체 기술 경쟁력을 확보해야 한다. 그러나 냉정하게 본다면 현재 삼성전자는 자동차용 반도체나 서버용 반도체 분야에서 마이크론 등 경쟁사와 비교해 확실한 우위에 있지 않다. 시스템반도체 기술력도 엔비디아와 퀄컴, AMD 등 상위 기업과 경쟁할 수 있을 만큼 끌어올려야 한다. 모바일 시대의 경쟁력을 자신해 신사업 분야 대응이 늦어지는 것은 삼성전자 입장에서 가장 경계해야 하는 일이다.

10% 룰과 황의 법칙

로버트 노이스(Robert Noyce)와 고든 무어(Gordon Moore)는 1968년 메모리반도체를 개발, 생산하는 기업을 설립했다. 바로 인텔이다. 인텔은 사실 시스템반도체가 아닌 메모리반도체를 모태로 하는 기업인 셈이다. 1970년, 인텔은 세계 최초로 1킬로비트(kilobit) 용량의 D램을 상용화했고, 이후 낸드플래시와 SSD 등 다양한 메모리반도체 분야로 사업을 확장했다.

D램이 등장하기 전 컴퓨터에서 저장장치 역할을 담당했던 부품은 1955년 개발된 자기코어(Magnetic Core) 메모리였다. 이름 그대로 자기장을 이용해 정보를 저장하는 형태여서 지금의 반도체와는 거리가 멀다. 인텔의 D램은 빠르게 메모리 시장을 잠식하면서 컴퓨

터 기술의 발전을 주도했다.

D램 패권을 바꾼 10% 룰과 초격차

성장하던 인텔의 D램 사업은 1980년대 들어 강력한 도전에 직면했다. 히타치(Hitachi)와 후지쓰(FUJITSU), 일본전기(NEC) 등이 일본 정부의 강력한 지원에 힘입어 공격적으로 D램 시장에 진출하기 시작한 것이다. 인텔이 직면한 첫 번째 위기였다.

일본 반도체 기업은 '10% 룰'을 앞세워 인텔을 압박했다. 무조건 인텔보다 10% 낮은 가격에 D램을 공급해 고객사를 빼앗는다는 작전이었다. 이에 대응해 인텔이 반도체 가격을 낮추면 일본 기업들은 인텔의 가격보다 다시 10% 저렴한 수준으로 가격을 조정했다. 일본 반도체 기업들은 수년 만에 D램 시장의 70~80%를 점유하게 되었다. 인텔은 메모리반도체에 대규모 생산 투자를 통해 가격 경쟁력을 더욱 끌어올리거나 사업을 포기해야만 하는 갈림길에 놓였다. 1년에 걸친 고민 끝에 인텔은 1985년, D램 사업에서 철수했다.

인텔은 D램 시장에서는 철수했지만, 메모리반도체 분야를 완전히 포기하진 않았다. 정보를 임시로 기록하는 데 사용되는 D램과 달리 정보를 저장하는 용도로 쓰이는 메모리인 노어(NOR)플래시에 집중하는 쪽으로 노선을 바꾼 것이다. 노어플래시는 현재 널리 쓰이는 낸드플래시와 유사한 개념인데, 기술적 특성상 컴퓨터 등에서 메모리에 저장된 정보를 읽어들이는 속도가 낸드플래시에 비해 더 빨랐다. 그러나 정보를 기록하는 속도가 느리고 가격이 비싸다는 단점을 갖고 있었다. USB메모리와 MP3플레이어 등 낸드플래시를 기반으로 하는 제품이 대중화되기 시작하면서 노어플래시는 서서히 비주류로 밀려났다.

인텔의 노력과 일본의 약진에도 불구하고 전 세계 D램과 낸드플래시 시장의 무게중심은 일본에서 우리나라로 빠르게 넘어왔다. 이병철 삼성 창업주의 결단으로 1983년부터 반도체를 핵심 사업으로 육성한 삼성전자가 1990년대 들어 과감한 기술 연구개발과 생산 투자로 일본 기업을 넘어서게 된 것이다.

삼성전자는 1992년 메모리반도체 시장의 게임 체인저(game-changer)가 된 64메가 D램을 세계 최초로 개발한 뒤 현재까지 D램 점유율 1위 자리를 놓치지 않고 있다. 일본 기업들이 D램 시장에서 인텔을 뛰어넘었던 비결은 앞에서 설명했듯이 공격적 가격 책정 전략이었다. 이에 비해 삼성전자는 기술력으로 '초격차'를 만들어냄으로써 시장을 석권했다.

황의 법칙을 스스로 증명하다

냰드플래시 분야에서도 상황은 비슷했다. 삼성전자는 2002년 처음으로 세계 낸드플래시 선두 기업에 등극한 뒤 20년째 경쟁자의 추월을 허용하지 않고 있다. 이런 성과를 낼 수 있었던 비결은 '황의 법칙'에 있다.

삼성전자의 낸드플래시 기술 개발을 총괄하던 황창규 메모리사업부 사장의 이름을 딴 '황의 법칙'은 낸드플래시 메모리의 용량이 매년 2배로 증가한다는 이론이다. 아니, 이론이라기보다는 삼성의 의지를 표현한 것에 가깝다. 1999년 256메가 낸드플래시를 개발한 삼성전자는 2000년에는 512메가, 2001년에는 1기가, 2002년에는 2기가 낸드플래시를 상용화하며 '황의 법칙'을 스스로 증명했다.

'황의 법칙'은 인텔 창업자의 이름을 딴 '무어의 법칙(Moor's Law)'을 차용한 표현이다. '무어의 법칙'은 반도체의 성능을 표현하는 집적도가 2년마다 2배로 개선될 것이라는 법칙인데, '황의 법칙'은 삼성전자가 메모리반도체 분야에서는 인텔보다 기술 발전을 선도한다는 자신감을 표현한 것이다. 인텔 입장에서는 자존심이 상하는 일이었을 것이다.

인텔은 낸드플래시 분야에서 대응하지 않으면 메모리반도체 시장에서 완전히 밀려날 수도 있다는 위기감을 느끼고 새로운 전략을 꺼내들었다. 바로 마이크론과 기술 협력을 추진한 것이다. 당시 마이크론은 D램 사업의 의존도를 낮추고 낸드플래시 사업을 빠르게 키울 돌파구를 찾고 있었다. 인텔은 해당 시장에 다시 진출하기에는 너무 많은 시간을 허비한 뒤였다. 2005년, 두 회사는 낸드플래시 사업에서 전방위적 협력을 약속하고 성능과 용량이 높은 신형 낸드플래시 개발을 위해 손을 잡았다.

그 사이 낸드플래시 시장은 빠른 속도로 성장했다. PC 시장에서 CD와 하드디스크 등 기존의 정보 저장 매체를 플래시 메모리나 SSD로 대체하는 흐름이 뚜렷해졌고, MP3와 PMP에 이어 스마트폰과 태블릿PC가 등장하며 낸드플래시 수요가 폭발적으로 늘어났다. 삼성전자는 세계 점유율 1위 기업으로 업황 성장에 가장 큰 수혜를 입었고, 이렇게 벌어들인 돈을 꾸준히 연구개발 투자에 쓰면서 기술력에서도 선두를 유지했다.

반면 인텔은 모바일용 메모리보다는 PC와 서버용 CPU 사업에 시너지를 기대할 수 있는 SSD 저장장치를 중심으로 사업을 운영했다. 모바일을 비롯해 최대한 여러 분야로 메모리반도체 영역을 확장해나가려던 마이크론과 뚜렷하게 다른 방향성을 보인 것이다. 결국 인텔과 마이크론은 시너지를 내지 못하게 된 '동맹'을 더 이상 유지할 필요성을 느끼지 못하게 됐다. 인텔은 2019년 마이크론과 협력을 위해 설립한 낸드플래시 합작법인을 마이크론에 완전히 매각했다. 그리고 2020년 남아 있던 낸드플래시 사업부와 생산 공장마저 SK하이닉스에 매각한다고 발표했다. 메모리반도체 사업을 재건하려는 여러 시도가 실패로 돌아갔음을 인정하고 메모리반도체 사업에서 사실상 손을 떼게 된 것이다.

인텔, 항복을 선언하다

인텔에게도 비장의 카드가 하나 남아 있긴 했다. 바로 인텔 메모리반도체 '최후의 보루'로 불리던 옵테인(Optane) 사업이다. 2017년 출시된 옵테인 메모리는 기본적으로 낸드플래시와 비슷한 비휘발성 메모리인데, 휘발성 메모리인 D램처럼 정보를 빠르게 읽어들일 수 있어 메모리반도체의 장점만을 결합한 제품으로 주목받았다. 그러나 2022년 7월, 인텔은 옵테인 사업 중단을 발표하고 2023년까지만 고객사에 제품 공급을 진행하기로 했다. 이유가 무엇일까?

삼성전자를 필두로 한 메모리반도체 기업들의 기술 발전 속도는 옵테인 메모리의 장점마저 희석시켰다. 고용량 D램이 상용화되고 데이터 처리 속도가 더욱 빨라지면서 옵테인 메모리의 필요성은 낮아졌고, SSD 등 낸드플래시 기반 저장장치의 성능도 개선됐다. 그러다 보니 옵테인 메모리는 오히려 D램과 낸드플래시의 단점을 모두 가진 제품이라는 평가를 받게 됐고 가격도 비싸 대중화에 실패하며 큰 적자를 남긴 실패한 사업으로 마무리된 것이다.

이제 인텔의 메모리반도체 사업은 사실상 역사 속으로 완전히 사라졌다. 메모리반도체 개발과 생산을 위해 설립된 인텔이 약 50년 만에 결국 완패하며, 이제는 시스템반도체 전문 기업으로 방향을 잡게 된 것이다.

반면 삼성전자는 메모리반도체의 시장 지배력을 바탕으로 다양한 시스템반도체 분야로의 진출을 타진하고 있다. 한때 인텔은 메모리반도체와 시스템반도체 양쪽 분야에서 지배력을 확보한 절대강자를 꿈꿨다. 그리고 이제 그 꿈은 삼성전자의 미래가 되고 있다.

인텔의 반격, 파운드리 대격변

"인텔의 목표는 2030년까지 세계 2위 반도체 파운드리 업체로 도약하는 것이다."

2022년 11월, 랜디르 타쿠르(Randhir Thakur) 인텔파운드리서비스(IFS) 사장은 「닛케이아시아」와 인터뷰에서 삼성전자에 이렇게 선전포고했다. IFS는 인텔의 반도체 위탁생산 사업을 담당하는 조직으로, 사업부 형태이지만 별도의 사장을 둔 독립된 법인에 가까운 경영체계를 갖추고 있다. 이는 인텔이 그만큼 파운드리 사업을 중요한 성장동력으로 보고 있다는 의미다.

다만 인텔이 두 번째로 영향력 있는 기업에 올라서겠다는 목표를 제시한 점은 다소 이례적이다. 그러나 저간의 사정을 살피면 이 목표는 다분히 '실현 가능한 수준'에서 내놓은 계획이라고 볼 수 있다.

파운드리 시장의 점유율은 절반 이상을 TSMC가 확보하고 있다. 현실적으로 인텔이 이를 넘어서기는 어렵다. 1위 기업인 TSMC의 위상에 도전하는 것은 중장기적 관점에서도 설득력을 얻기 어렵지만, 2위를 차지하고 있는 삼성전자라면 한번 붙어볼 만하다는 것이 인텔의 판단이다. 〈카운터포인트리서치〉 조사에 따르면, 2022년 4분기 기준으로 TSMC는 파운드리 시장에서 60%의 매출 점유율로 1위, 삼성전자는 13%로 2위를 기록했다. 인텔은 파운드리 사업에 진출하기 위해 초기 투자를 벌이는 단계에 있기 때문에 점유율이 집계되기 어려울 정도로 미미한 수준이다. 이처럼 현재 성적에 큰 차이가 남에도 인텔이 삼성전자의 점유율을 뛰어넘겠다고 자신한 배경은 무엇일까?

비교 불가의 투자를 쏟아붓는 인텔의 속사정

인텔은 최근까지 비주력 사업을 매각하고 인력을 감축하는 등 과감한 구조조정을 했다. 메모리반도체 사업부를 SK하이닉스에 매각한 것도 사업 재편의 일환이다. 2021년 팻 겔싱어(Pat Gelsinger)가 CEO로 취임한 뒤 이런 변화에 더욱 속도가 붙었고, 이를 통해 파운드리 등 신사업에 대규모 투자를 할 수 있는 여력을 확보할 수 있었다.

현재 인텔이 파운드리 분야에 추진하고 있는 투자 규모는 상당한 수준이다. 우선 애리조나에 200억 달러를 들여 반도체 공장 두 곳을 설립하고 있다. 오하이오에도 비슷한 규모의 투자가 예정되어 있다. 독일에 최소 300억 유로를 들여 새 공장을 건설하는 방안을 확정했고, 아일랜드에 있는 기존 공장에도 120억 유로 상당의 증설 투자를 준비 중이다. 앞으로 10년 동안 오하이오 공장 시설 투자에만 1,000억 달러를 투자할 것이라는 발표를 내놓기도 했다. TSMC, 삼성전자와의 격차를 좁히려면 단기간에 공격적으로 비용을 투입해야 한다는 판단에 따른 선택이다. 천문학적 규모의 투자가 흔한 반도체 업계에서도 인텔의 투자는 그 규모가 놀라울 만큼 크다.

반도체 미세공정 신기술 로드맵도 인텔의 투자 계획만큼 과감하다. 인텔은 TSMC와 삼성전자의 4나노와 유사한 인텔4 공정을 2022년 하반기에 상용화했다고 밝혔다. 이는 두 기업보다 1년 정도 늦은 시점이다. 그러나 인텔은 차세대 기술인 인텔3 미세공정은 2023년 하반기, 2나노에 해당하는 20A 공정은 2024년부터 생산에 활용하겠다고 발표했다. 삼성전자와 TSMC의 2나노 기술 도입 시기가 2025년으로 예상되는 점에 비춰보면, 인텔은 2년 안에 삼성과 TSMC를 기술력에서 뛰어넘겠다는 도전적인 목표를 제시한 것이다.

다시 소환된 무어의 법칙

인텔은 다소 무리한 기술 발전 계획에 힘을 싣기 위해 다시 '무어의 법칙'을 소환했다. 팻 겔싱어는 미세공정 기술 로드맵을 발표한 뒤 온라인 행사에서 "인텔은 무어의 법칙을 지켜내온 기업으로 끊임없는 혁신을 지속하고 있으며 앞으로 10년 동안 기술 발전 속도는 이보다 더 빨라질 수도 있다"고 말했다. 인텔이 한동안 반도체 미세공정 기술 우위를 삼성전자와 TSMC 등에 빼앗기며 경쟁에서 밀려났지만, 반도체 업계 전체의 기술 발전을 주도하는 핵심 기업으로서의 입지를 되찾아 과거의 영광을 이어갈 것이라는 의지의 표현이다. 그러나 현실은 만만하지 않다.

인텔의 위상 변화를 단적으로 보여주는 예가 있다. 인텔은 한때 우리나라에서 '14나노 깎는 노인'이라는 별명으로 불렸다. 유명 수필 「방망이 깎던 노인」을 빗대서 나온 이 표현은, 인텔이 14나노 미세공정을 2015년 출시한 5세대 CPU부터 2021년 선보인 11세대

CPU까지 무려 7년 동안 활용했다는 사실을 조롱하는 표현이다.

반도체 성능 발전의 핵심인 미세공정 기술이 수년째 제자리에 머무르다 보니 자연히 CPU 성능과 전력 효율 개선 폭도 크지 않았고, 자연히 소비자들은 인텔에 실망감이 컸다. 인텔이 주춤하는 사이 삼성전자와 TSMC는 10나노 이하 반도체 공정 상용화를 두고 속도전을 벌였다. 인텔이 10나노 공정을 도입했을 때. 이미 경쟁의 중심은 7나노 공정 기술로 이동한 상황이었다.

반도체 회사별로 나노 단위를 측정하는 기준에 다소 차이가 있고, 미세공정 수준이 반도체의 성능을 결정하는 유일한 요소는 아니다. 하지만 인텔이 더 이상 '무어의 법칙'을 선도하는 기업이 아니라는 점은 분명하다.

팻 겔싱어가 인텔의 파운드리 사업 경쟁력 확보를 자신하며 '무어의 법칙'을 내세운 것은 지난 세월의 패착을 딛고 다시 첨단 반도체 기술에 있어서 가장 앞서나가는 기업으로 명성을 되찾겠다는 의지의 표현이다. 인텔이 파운드리 시장에서 경쟁력을 확보하려면 TSMC와 삼성전자의 미세공정 기술을 따라잡는 것은 필수적이다. 그래서 인텔은 기술 개발 속도를 앞당기기 위해 일부 반도체를 직접 제조하는 대신 TSMC의 3나노 공정에 위탁생산을 맡기기로 했다. 대신 자체 연구개발 조직을 분리해 여러 미세공정 기술을 동시에 개발하는 등의 강수를 뒀다. 이를 통해 자체 CPU 등의 생산 라인을 구축하는 데 필요한 투자 여력을 아끼고, 파운드리 사업에서 주로 활용하게 될 새 공정 기술을 개발하려는 것이다.

인텔은 사업 구조 개편을 통해 공정 기술 개발에 효율성을 높이는 것 외에 믿는 구석이 하나 더 있다. 시설 투자 측면에서 경쟁사보다 유리하다는 점이다. 펫 겔싱어는 인텔의 미세공정 로드맵을 발표한 뒤 인텔이 TSMC나 삼성전자보다 효과적으로 투자 성과를 거둘 수 있다고 강조했다. 삼성전자의 경우 파운드리뿐만 아니라 현재 주요 사업인 메모리반도체에 투자를 분산해야 한다. TSMC는 첨단 미세공정뿐 아니라 레거시 공정 반도체에도 꾸준히 증설 투자를 진행해야 한다. 반면 인텔은 첨단 시스템반도체 공정에만 대부분의 시설 투자금을 들일 수 있다. 따라서 비용 대비 효율 측면에서 우위를 점할 수 있다는 것이 인텔의 주장이다.

인텔은 그동안 메모리반도체 사업에서 겪은 실패와 미세공정 기술 발전이 늦어져 경쟁사들에 입지가 크게 밀리고 말았던 과거의 오판을 교훈으로 삼아 앞으로 파운드리 사업에서 진검승부를 노리고 있다. 물론 인텔이 단기간에 공정 기술력을 목표한 만큼 대폭 끌어올릴 수 있을지는 미지수다. TSMC와 삼성전자가 미세공정 기술을 2나노 수준까지 발전시키는 데 필요했던 시간을 인텔은 절반 아래로 줄이겠다는 것이니, 다소 무리한 목표라고 하는 게 이성적인 판단이다. 또한 파운드리 사업은 고객사 확보와 반도체의 생산 수율, 원가 경쟁력도 중요해서 인텔이 넘어야 할 산은 한두 개가 아니다.

삼성전자와 TSMC도 인텔의 추격을 바라만 보고 있는 건 아니다. 삼성전자는 2022년, 파운드리 포럼에서 2027년 1.4나노 공정 도입 계획을 공식화했다. TSMC는 1나노 반도체 생산 투자 계획까지 발표하며 기술 발전에 고삐를 당기고 있다.

세계 파운드리 시장은 앞으로도 가파르게 성장할 것으로 예상된다. 인텔까지 포함한 파운드리 주요 3사의 각축전은 갈수록 치열하게 벌어지게 될 것이다.

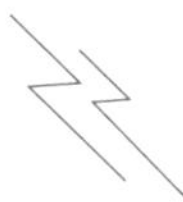

삼성의 대응,
공격적 M&A

"돈이 너무 많다는 것은 문제가 될 수도 있다. 삼성전자는 보유하고 있는 현금을 서둘러 소비하지 않으면 가치가 떨어질 수밖에 없다는 딜레마를 안고 있다."

「로이터」는 2022년 말, 삼성전자가 100조 원 이상의 현금성 자산을 쌓아두고 있다며 비판적인 논평을 내놓았다.

삼성전자는 수년째 이어진 반도체 호황에 힘입어 벌어들인 막대한 현금을 꾸준히 축적해왔다. 이는 실적 부진 등 리스크에 대비하기 위한 선택이었다. 안정적 재무구조를 갖추고 있는 기업은 순이익이 줄어도 연구개발과 시설 투자 규모를 유지할 수 있다. 그러나 「로이터」의 지적처럼 환율 변동, 물가 상승으로 돈의 가치가 낮아질 경우 쌓은 현금은 '앉아서 손해를 보는' 장사가 될 수 있다. 따라서 적당한 시점에 자금을 유용하게 활용하는 전략적 측면의 선택이 필요한 시점이다.

ARM을 둘러싼 동상이몽

삼성전자가 그동안 쌓아둔 자금을 효과적으로 활용할 수 있는 방안으로 가장 많이 거론되는 것이 인수합병(M&A)이다. 실제로 삼성전자가 시스템반도체 분야에서 대규모 M&A를 추진할 것이라는 전망이 힘을 얻으며 주주들의 기대감이 높아지고 있다. 다만 삼성전자는 중장기 경쟁력 강화 측면에서 다양한 가능성을 검토하고 있다며 인수합병 계획과 관련해서는 말을 아끼고 있다. 그러나 증권가나 주요 외신은 이미 특정 기업을 삼성전자의 유력한 인수 대상으로 거명한다. 가장 최근에 거론된 기업은 앞서 인텔의 모바일 반도체 진출 실패로 인한 반사이익을 본 기업으로 지목된 ARM이다. ARM의 모회사인 일본 소프트뱅크의 손정의 회장이 매각 의사를 밝혀왔던 기업이기도 하다.

2022년 10월 이재용 회장과 손정의 회장의 만남이 알려지자 삼성전자의 ARM인수설에 힘이 실리는 분위기가 조성됐다. 이해관계가 어느 정도 일치하는 두 기업 수장이 만났으니 빠른 시기 안에 빅 딜이 이뤄질 거라는 전망도 무리는 아니었다. 삼성전자가 ARM을 인수하면 시스템반도체 설계 기술력을 한층 강화할 수 있다. 소프트뱅크가 ARM을 성공적으로 매각하면 자금난을 해결할 수 있다. 두 기업 모두에게 윈윈이다.

이날의 만남 이후 2023년 6월 현재까지 명확한 발표는 없었다. 그러나 반도체 업계에서는 소프트뱅크가 ARM 지분을 일부만 미국 증시에 상장하며 높은 지분율을 유지하고 있다는 점을 들어 여전히 삼성의 ARM 인수 가능성이 높은 것으로 보고 있다.

삼성전자의 시스템반도체 관련 기업 인수설이 꾸준히 나오고 있는 배경은 2030년까지 세계 시스템반도체 1위 기업으로 도약하겠다는 이재용 회장의 의지 때문이다. 삼성전자는 2019년에 시스템반도체 1위 계획을 제시한 이후 파운드리를 비롯한 해당 분야에 연구개발 및 시설 투자 규모를 점차 늘리고 있다. 그러나 냉정히 바라보면 삼성전자가 현재 보유한 기술 역량과 사업 규모로는 세계 1위 목표를 달성하기 어렵다.

미국과 대만 같은 시스템반도체 강국과 이들 국가의 관련 기업들은 오랫동안 시스템반도체에 집중적인 투자를 하며 후발주자의 진입장벽을 높여왔다. 그러나 만약 삼성전자가 오랜 경험과 기술력을 보유하고 있는 반도체 기업을 인수해 쌓여 있는 현금을 기반으로 적극적인 투자를 한다면 단숨에 역전 기회를 만들어낼 수 있다.

ARM과 함께 삼성전자의 인수 후보로 종종 거론되는 NXP 반도체, ST마이크로일렉트로닉스(STMicroelectronics), 인피니언(Infineon Technologies), 온세미컨덕터(ON Semiconductor)의 공통점은 인공지능과 사물인터넷, 자동차용 반도체를 전문으로 하는 기업이라는 것이다. 이는 삼성전자가 추진하는 신사업 분야와 밀접하게 연관되어 있으며 단기간에 자체적으로 경쟁력을 키우기는 어려운 영역이기도 하다. 삼성전자가 이러한 기업을 인수해 반도체 기술 라이선스를 다수 확보하게 된다면 인공지능 플랫폼과 사물인터넷 기기, 자동차용 전장부품 등 시장에서 성장성을 높일 수 있고, 메모리반도체 사업과 시너지도 기대할 수 있다.

인텔의 40조 원 쇼핑 리스트

삼성전자의 인수합병 대상으로 언급된 기업들은 인텔이 이미 이전에 거액을 들여 인수한 반도체 기업과 사업 영역이 겹친다. 인텔은 새 성장동력을 찾기 위해 적극적인 인수합병을 해왔다. 인텔이 그동안 어떤 기업을 사들였고 이를 통해 기대하는 효과가 무엇인지 살펴보는 것은 삼성전자의 반도체 기업 인수 방향성을 예측하는 데 도움이 될 것이다.

인텔이 합병한 주요 반도체 기업으로는 알테라(Altera), 모빌아이(Mobileye), 타워세미컨덕터(Tower Semiconductor Ltd.)가 있다. 알테라는 2015년 167억 달러에, 모빌아이는 2017년 153억 달러에 인수했다. 타워세미컨덕터는 2022년 54억 달러 규모의 거래가 성사됐다. 인텔이 3곳의 기업을 인수하는 데 쓴 돈만 우리 돈으로 40조 원 이상이다. 인텔이 이들 기업을 사들인 이유는 인공지능 기반 슈퍼컴퓨터와 사물인터넷, 자율주행차 반도체 개발에 박차를 가하기 위해서다. 하나씩 살펴보자.

알테라는 특정 용도에 맞게 반도체를 프로그래밍할 수 있는 FPGA(field-programmable gate array) 전문 기업으로 반도체가 자체적으로 연산을 수행해야 하는 사물인터넷 기기와 자율주행차, 로봇 등의 분야에서 활용되는 기술을 가지고 있다. 모빌아이는 자율주행 반도체 전문기업이다. 인텔의 자동차용 반도체 사업에 핵심 역할을 담당한다. 타워세미컨덕터는 전기차용 반도체, 의료기기와 우주항공 등의 분야에 필수인 아날로그(Analog) 반도체를 전문으로 한다.

인텔의 인수합병 사례는 대부분 차세대 사업에 초점을 맞추고 있어서 성과를 확인하기까지 다소 시간이 필요해 보인다. 그러나 인텔이 미래의 핵심 기술을 선점할 수 있게 됐다는 점에서 긍정적으로 평가할 만하다.

인텔은 앞으로도 인수합병을 계속 이어갈 것으로 보인다. 한때 ARM을 삼성전자와 공동으로 인수한다는 풍문이 돌기도 했다. 팻 겔싱어는 2022년 5월 우리나라를 방문해 이재용 회장을 만난 자리에서 인텔과 삼성전자의 협력 방안을 논의했다. 이 만남에 대해 일부 언론은 ARM 인수 컨소시엄 구성과 관련한 내용을 검토하는 자리였다고 분석한다. 팻 겔싱어는 「월스트리트저널」과 인터뷰에서 "인수합병은 인수 의사와 매각 의사가 있는 기업이 모두 존재할 때 성사될 수 있는데, 인텔은 인수 의지가 강한 기업"이라고 말하기도 했다.

첨단 반도체 시장이 발전할수록 경쟁력 확보를 위해 여러 기업이 컨소시엄 형태로 힘을 합치게 될 것이다. 인텔은 M&A를 통해 이러한 변화를 주도하겠다는 의지를 보이고 있다. 2022년에 AMD에서 근무하던 인수합병 전문가를 영입해 이와 관련한 작업을 맡긴 상태로, 귀추가 주목된다.

이재용 회장의 선택

삼성전자의 대규모 인수합병은 이재용 회장의 경영 능력을 증명할 기회로 여겨진다. 이 회장은 오래전부터 삼성전자와 여러 글로벌 기업의 협력을 주도하며 '삼성의 외교관'이라 불려왔다. 손정의 회장과의 오랜 친분도 이러한 장점을 나타내는 예 가운데 하나다.

이재용 회장은 이미 2016년 하만 인수 작업을 주도한 경험이 있다. 앞으로 반도체 기업 인수를 추진하는 데서도 핵심 플레이어로 활동할 것으로 예상된다. 그는 2022년에 반도체 장비업체 ASML, 인텔, 퀄컴의 CEO를 잇따라 만나며 글로벌 인맥 강화와 협업 논의를 꾸준히 진행해왔다.

그러나 최근 들어 각국의 독점 금지 규제로 대형 IT 기업의 인수합병을 엄격하게 제한하는 움직임을 보이고 있다. 삼성전자의 인수합병 추진에 먹구름이 드리워진 것이다.

실제로 2020년 엔비디아는 소프트뱅크로부터 ARM을 인수하기로 합의했지만, 미국, 유럽, 중국 등 주요 국가의 규제 당국으로부터 승인을 받지 못해 거래가 무산되기도 했다. 삼성전자가 ARM을 비롯한 반도체 기업 인수를 본격적으로 추진한다면 각 국가가 자신들의 반도체 역량을 보호하기 위해 인수합병을 불허할 수도 있다.

또 다른 걸림돌도 있다. 삼성전자의 인수 후보로 거론되는 기업들은 모두 높은 성장성을 인정받고 있는 곳들이다. 그런 만큼 지분 매각을 추진할 이유가 크지 않다. 또한 인텔, AMD, 엔비디아, 퀄컴 등 경쟁기업들도 신산업 분야의 경쟁력 확보를 위해 삼성전자가 주목한 기업들의 인수합병을 노리고 있다.

따라서 삼성전자는 반도체 기업 인수 기회가 어려울 것에 대비해 자체 연구개발 투자를 더욱 강화하며 독자적으로 경쟁력을 키우는 '플랜B'를 마련하는 일이 필요할 것이다.

변수,
미국의 반도체 지키기

"미국은 반도체를 발명했고, 반도체는 장기간 미국 경제와 안보의 중추 역할을 해왔다. 그러나 과거 반도체 생산의 중심지였던 미국 중서부 지역은 지금 텅 비어 있다. 나는 이를 바꿔내기 위해 백악관에서 반도체 지원법에 서명했고, 1개월이 지난 지금 인텔의 공장 착공식에 자리하고 있다. 앞으로 20년 뒤 우리는 모두 오늘을 '변화가 시작된 날'로 기억할 것이다."

조 바이든 미국 대통령은 2022년 9월 인텔의 오하이오 반도체 공장 착공식에 참석해 사자후를 토했다. 바이든은 미국 내에 반도체 연구센터, 생산 설비를 건설하는 기업에 대규모 지원금과 세제혜택을 제공하는 내용의 반도체 지원법이 성과를 내고 있다고 연일 발표하고 있다. 인텔은 미국 정부의 지원에 화답해 오하이오주 공장을 최대 규모의 반도체 생산단지로 만들겠다는 계획을 제시했고, 조 바이든 대통령은 이런 결정을 환영하기 위해 직접 착공식에 방문한 것이다.

미국 정부가 반도체 지원법 시행을 확정짓기까지 거쳐온 과정은 다소 험난했다. 야당인 공화당은 물론 일부 여당 의원도 520억 달러 이상의 예산이 드는 정책의 기대 효과에 의문을 나타냈다. 막대한 자금 여력을 보유하고 있는 대형 반도체 기업에 세금을 지원하는 일이 타당하냐는 시선도 많았다. 바이든 정부는 코로나 팬데믹 영향으로 나타난 반도체 공급 부족 사태가 자동차를 비롯한 미국의 주요 산업에 큰 타격을 주었다는 점을 들어 적극적으로 의회를 설득했다. 중국이 세계 반도체 시장에서 영향력을 확대하는 일을 막기 위해 미국이 기술 주도권을 되찾아야 한다는 주장도 앞세웠다.

공화당이 바이든 정부의 반도체 지원법에 냉담한 반응을 보인 이유는 이 법안이 미국 의회 의석수를 결정하는 2022년 중간선거를 앞두고 나왔기 때문이다. 바이든 대통령의 핵심 정책에 승리를 안겨주는 일은 자연히 여당인 민주당의 선거에 유리한 요소다. 「폴리티코(Politico)」 등 주요 정치 매체는 이런 분위기를 고려해 미국 정부의 반도체 지원법 추진 노력이 사실상 물거품으로 돌아갈 수 있다는 예측을 내놓기도 했다.

바이든이 오하이오로 날아간 이유

그러나 바이든 대통령은 법안 통과를 위해 적극적으로 주요 반도체 기업의 힘을 빌리기 시작했다. 삼성전자와 인텔, 구글, 아마존, 마이크로소프트 등 세계 주요 반도체 기업 및 대형 IT 기업은 반도체 지원법 통과가 미국의 IT 산업 발전을 위해 필수적이라는 내용의 공동 성명을 의회에 전달하기도 했다. 당시 바이든 대통령이 우리나라를 방문해 이재용 회장과 함께 삼성전자 반도체 공장을 둘러본 것도 반도체 지원법이 미국에 불러올 투자 성과를 강조하기 위한 행보로 풀이된다.

팻 겔싱어는 의회를 향해 반도체 지원법이 통과되지 않으면 오하이오 공장 투자 계획을 늦추거나 축소할 수 있다고 엄포를 놓으며 적극적으로 바이든 정부를 지지했다. 그는 법안 통과를 전제로 대규모 투자 계획을 발표했는데, 만약 법안이 폐기된다면 어쩔 수 없이 200억 달러를 들이기로 한 오하이오 반도체 공장 건설은 물론 추가 투자 계획이 불확실해질 수밖에 없다고 호소했다. 더 나아가 삼성전자와 SK하이닉스 등 우리나라 반도체 기업도 언급하며 이들이 미국에 투자를 검토할 수 있도록 정부 차원에서 적극적으로 동기를 부여하기 위한 노력이 필요하다고 강조했다.

여론전 끝에 2022년, 반도체 지원법은 의회를 통과했다. 어찌 보면 인텔이 바이든 대통령의 정책적 성과에 '일등공신' 역할을 한 셈이다. 바이든 대통령이 인텔의 오하이오 반도체 공장 착공식에 직접 방문한 것은 이러한 노력에 대해 감사의 의미를 담고 있다고 볼 수 있다.

미국반도체산업협회(SIA)에 따르면 2022년 12월 기준으로 반도체 지원법이 끌어들인 민간 분야의 연구센터 및 생산 투자는 2,000억 달러에 이른 것으로 집계된다. 투자 유치로만 본다면 바이든 정부가 밀어붙인 반도체 산업 지원 정책이 대성공을 거둔 셈이다.

인텔이 이처럼 반도체 지원법에 강력한 지지를 표명해온 배경은 정부 보조금 및 세제 혜택에 따른 수혜를 가장 크게 볼 수 있는 기업이기 때문이다. 인텔은 독보적인 미국 반도체 1위 기업이며 반도체를 직접 제조하는 몇 안 되는 기업이다. 따라서 반도체 지원법이 약속한 지원의 상당 부분이 인텔에게 돌아갈 공산이 크다. 바이든 대통령도 인텔이 반도체 지원법에 힘입어 미국에 과감한 투자를 결정한 만큼 정부가 적극적인 도움을 줄 것이라고 시사했다.

삼성은 반도체 지원법의 희생양인가

삼성전자 역시 미국 반도체 산업 지원법과 이해관계가 얽혀 있다.

삼성전자는 이미 관련 법안이 통과되기 전부터 170억 달러 규모의 텍사스 테일러 파운드리 공장 투자 계획을 제시했다. TSMC와 더불어 7나노 미만의 첨단 미세공정 반도체를 생산할 능력을 갖추고 있으며 주요 고객사가 대부분 미국의 시스템반도체 설계 전문기업인 삼성전자에게 미국 공장 투자는 나쁘지 않은 선택이다. 이미 텍사스 오스틴에서 파운드리 공장을 운영하고 있기 때문에 주 정부 차원에서 적극적인 지원을 받을 수 있고, 반도체 생산에 필요한 인프라와 공급망도 충분히 갖추고 있다. 텍사스 당국은 삼성전자의 새 공장이 착공에 들어가자 근처에 '삼성 고속도로(Samsung Highway)'라는 이름을 붙인 도로를 건설할 만큼 적극적이다.

그러나 미국에 공장을 짓고 운영하는 데 드는 비용은 우리나라에서 반도체를 생산할 때와 비교해 경제적 부담이 크다. 당연히 미국 정부의 충분한 지원을 받는 일이 필수적이다. 반도체 지원법 시행에 따른 보조금 지급 대상과 규모는 미국 상무부가 해당 기업의 경제 기여도와 성장성 등을 평가해 결정한다. 삼성전자는 지원금을 받기 위해 테일러 파운드리 공장에 첨단 미세공정인 4나노 기술을 도입하겠다는 계획을 발표했다. 그리고 메모리반도체 공장을 추가로 건설할 가능성도 열려 있다는 입장을 내비쳤다. 텍사스에 2043년까지 1,921억 달러를 들여 최대 11곳의 신규 반도체 공장을 설립하는 계획도 검토되고 있다.

그러나 미국 반도체 기업과 삼성전자 등 해외 기업을 바라보는 바이든 정부의 태도는 다소 온도차가 있다. 일례로 바이든 대통령이 인텔과 마이크론, 퀄컴 등 미국 기업의 반도체 공장 및 연구센터 투자 계획은 공식 석상에서 중요한 성과로 거론한 반면, 삼성전자의 공장 건설과 관련한 내용은 좀처럼 언급하지 않는다. 인텔의 오하이오 반도체 공장 착공식에서 바이든 대통령은 오히려 한국을 비롯한 여러 반도체 강국을 미국의 경쟁상대로 거명했다. 특히 한국과 일본, 중국 등이 국가적 차원에서 자국의 반도체 기업을 지원하고 있기 때문에 미국도 그 이상의 대응이 필요하다는 입장을 내놓기도 했다.

미국 정부는 반도체 지원법이 결국 미국의 기술 경쟁력 강화로 이어져야 한다는 점을 꾸준히 강조하고 있다. 바이든 대통령도 "보조금을 받는 기업은 반도체를 미국에서 개발하고 미국에서 만들어야 한다"는 점을 분명히 했다. 결국 인텔과 같은 미국 기업이 반도체 지원법에 따른 수혜를 대부분 차지할 것이며 삼성전자를 비롯한 해외 기업은 대규모 투자 결정에도 불구하고 상대적으로 불이익을 받게 될 수 있다는 전망이 나오고 있다.

미국 상무부에서 제시한 보조금 신청 가이드라인은 이러한 의도를 노골적으로 드러내고 있다. 가이드라인에 따르면, 정부 지원을 받는 기업은 중장기 실적 전망치와 사업계획 등 영업비밀에 가까운 민감한 정보를 공개해야 한다. 또한 초과 이익이 발생하면 이를 일부 미국에 반환해야 한다. 이는 미국 기업도 받아들이기 힘든 조건이다. 현재 삼성전자와 TSMC는 이러한 요건을 받아들이기 어렵다는 입장이다. 그러나 최대 반도체 시장 중 한 곳인 미국과 관계를 고려하면 정부의 요구를 대놓고 거부할 수도 없다. 딜레마에 빠진 것이다.

아직 속단하긴 이르다

인텔과 마이크론 등 미국 반도체 기업은 정부의 반도체 지원법 시행을 앞두고 미국 비영리 기관 MITRE 산하 반도체 연합(Semiconductor Alliance)에 합류했다. 반도체 연합은 미국 반도체 산업 발전을 위한 전략을 수립하고 이를 미국 정부와 정치권에 조언하는 역할을 담당해왔다. 이 단체에 합류함으로써 인텔은 반도체와 관련한 정책 수립에 직접 목소리를 낼 수 있게 됐다. 이들은 미국이 글로벌 반도체 경쟁에서 유리한 위치를 차지하려면, 결국 미국 기업이 충분한 지식재산을 확보해 기술 주도권을 되찾아야 한다는 점을 강조한다. 정부 지원이 해외 기업의 기술력 강화로 이어져서는 안 된다는 의미다.

현재 미국 정부는 인텔과 국방 분야에서 협업하며 기술 개발을 직접적으로 지원하고 있다. 일례로 인텔은 정부와 우주항공 및 군사 당국을 포함하는 USMAG와 연합체를 구축해 미국의 국가 안보에 필요한 첨단 반도체를 개발하고 생산하겠다는 목표를 세웠다. 구체적으로 어떤 반도체 개발과 생산을 맡게 될지는 비공개에 부쳐져 있지만 군사와 우주항공 분야에 핵심으로 꼽히는 인공지능 반도체 및 슈퍼컴퓨터용 반도체 등이 포함될 가능성이 유력하다. 이는 인텔의 차세대 사업 분야 성장에 기여할 수 있는 기술들이다.

미국 국방부는 이와 별도로 인텔의 첨단 반도체 설계 및 공정 기술 개발에 2억 5,000만 달러를 지원하기로 했고, 인텔이 일정 기술 수준에 도달하면 추가 지원을 하겠다고 약속했다. 미국 정부가 국가 안보를 이유로 사실상 삼성전자와 TSMC 등 해외 경쟁사에 대응해 인텔이 반도체 파운드리 미세공정 기술력을 키울 수 있도록 지원을 아끼지 않고 있는 것이다. 인텔뿐 아니라 마이크론과 글로벌파운드리(GlobalFoundries), 퀄컴과 텍사스인스트루먼츠 등의 미국 반도체 기업도 정부 지원을 받기 위해 잇따라 공격적인 투자 계획을 발표하고 있다.

삼성전자의 미국 반도체 투자가 실익을 거두기 위해서는 현지 공장 설립에 따른 효과가 충분히 발휘돼야 한다. 미국 내 반도체 고객사 확보에 성과를 내고 인텔과 미세공정 기술 경쟁에도 확실한 우위를 유지해야만 한다. 이런 일련의 과정이 미국 반도체 기업과 미국의 경제 발전에 도움을 줄 수 있다는 점을 강조한다면, 미국 정부의 보다 적극적인 지원을 이끌어낼 수 있을 것이다.

두 번째 변수,
유럽의 인텔 지원

2023년 2월, 유럽연합집행위원회는 '넷제로 시대를 위한 그린딜 산업 계획'을 발표했다. 이 계획은 전기차 배터리와 신재생에너지를 비롯한 친환경 분야 투자가 유럽에 집중되도록 관련 지원을 아끼지 않겠다는 내용을 담고 있다. 앞으로 유럽연합 이사회와 의회 논의를 거쳐 시행안이 확정되면, 탄소중립 달성에 기여할 수 있는 산업에 보조금 지원 절차가 간소화돼 글로벌 기업의 현지 투자가 활성화될 것이다.

유럽연합은 이와 동시에 '유럽판 반도체 지원법' 도입도 추진하고 있다. 유럽 의회 산업연구에너지위원회(ITRE) 소속 의원들은 2023년 1월, 반도체 지원 법안의 발의안을 채택했다. 1년 가까이 논의해오던 반도체 지원 정책을 법제화하는 절차에 들어간 것이다. 여기에는 반도체 공급 부족 사태와 같은 리스크를 피하고 유럽의 반도체 생산 능력과 기술 역량을 키우는 데 힘쓰겠다는 의도가 담겨 있다. 법안은 유럽 현지에 투자하는 업체에 총 450억 유로를 지원한다는 내용을 담고 있는데, 이는 미국 반도체 지원법 예산인 520억 달러에 맞먹는 수준이다.

유럽의 반도체 자국주의

유럽연합의 그린딜 산업 계획과 반도체 지원 정책은 기시감을 일으킨다. 해당 정책과 법안의 내용이 2022년 바이든 정부에서 도입한 인플레이션 감축법(IRA) 및 반도체 지원법과 상당히 유사하기 때문이다. 유럽연합의 이러한 움직임은 미국 정부의 산업 정책에 대응하는 무역전쟁에 가까운 성격을 띠고 있다. 자칫하면 경제 발전의 핵심이 될 산업의 중심축이 완전히 미국으로 넘어갈 수 있다는 위기감도 감지된다.

유럽의 반도체 지원법은 얼마 전까지만 해도 주요 회원국의 지지를 얻지 못해 답보 상태에 놓여 있었다. 그러나 미국발 위협 때문에 유럽연합 소속 국가 대부분이 찬성으로 돌아서며 법제화 절차에 속도가 붙었다. 미국 정부의 반도체 지원 법안에 위기감을 느낀 유럽 국가들이 세계 반도체 기업의 투자 기회를 미국에 빼앗기지 않기 위해 더 적극적으로 대응하기 시작한 것이다. 여기에는 미국 정부가 중국을 압박하기 위해 네덜란드 등 유럽 국가에게 수출 규제에 동참해야 한다는 요구를 내놓은 것에 대한 반발 심리도 작용했다.

유럽연합이 처음 글로벌 반도체 기업의 유럽 내 공장 투자를 지원하는 정책을 논의하기 시작한 것은 코로나 팬데믹으로 인한 반도체 공급 부족 사태 때문이었다. 이에 더해 전 세계적으로 지정학적 리스크가 확대되면서 유럽연합 차원의 대응이 필요해졌다. 또 러시아의 우크라이나 침공이 이어지면서 불확실성이 커지자 유럽연합은 강력한 반도체 지원 정책을 통해 전 세계에서 9% 수준에 그치고 있는 권역 내 반도체 생산 비중을 2030년까지 20%로 끌어올리겠다는 목표를 수립했다.

미국이 유럽보다 앞서 반도체 지원법을 시행하며 삼성전자와 TSMC, 인텔 등 세계 대형 반도체 기업의 공장 투자를 확정짓는 데 성공한 일은 유럽연합에 상당한 자극이 됐다. 이들 기업의 투자 여력에는 한계가 있기에 미국이 투자 유치를 선점한다는 것은 잠재적으로 유럽이 그만큼 타격을 받게 된다는 의미이기 때문이다. 우르줄라 폰 데어 라이엔(Ursula Gertrud von der Leyen) 유럽연합 위원장은 유럽 반도체 지원 정책을 발표하며 "반도체 지원법이 유럽의 글로벌 경쟁력 강화에 게임 체인저가 되도록 하겠다. 이는 유럽이 앞으로 겪게 될 여러 경제적 불확실성에 대비할 수 있도록 할 뿐만 아니라 주요 산업의 리더로 자리 잡는 데 중요하게 기여하게 될 것"이라고 강조했다.

인텔이 왜 거기서 나와?

유럽연합의 이러한 정책적 움직임에 가장 적극적으로 화답하고 있는 기업이 인텔이다. 인텔은 2022년 독일에 약 170억 유로를 들여 새 반도체 공장을 건설하는 계획을 포함해 앞으로 10년 동안 유럽에 모두 800억 유로, 우리 돈으로 102조 원에 가까운 금액을 투자하겠다고 발표했다. 2023년 발표에서 독일 공장에 들이는 금액은 300억 유로 이상으로 늘어났다. 삼성전자가 미국 투자 계획에 집중하는 사이 인텔은 미국을 넘어 유럽까지 투자 보폭을 확대하면서 양쪽에서 모두 정책적 수혜를 기대하고 있는 것이다.

독일은 이미 인텔 공장에 전체 투자 금액의 3분의 1에 가까운 금액을 지원하는 방안을 논의하고 있다. 또한 인텔은 아일랜드와 이탈리아 등 다른 지역에서도 사실상 투자를 결정한 뒤 유럽연합과 보조금 및 인센티브에 대한 논의를 이어가고 있다. 폴란드와 스페인에 새 반도체 공장을 세우고 프랑스에 연구개발센터를 짓는 중장기 계획도 수립된 상태다.

인텔은 유럽 투자 계획을 발표하며 "유럽 반도체 지원법이 불러온 강력한 효과는 인텔과 유럽 양측에 모두 진보의 기회를 열어줬다"고 말했다. 인텔이 앞으로 수십 년 동안 유럽의 첨단 산업 발전에 기여하게 될 것이라는 점을 강조하면서 유럽연합 및 주요 회원국 정부와 긴밀하게 협력해나갈 계획을 예고한 것이다. 우선 가장 먼저 완공되는 독일 반도체 공장을 유럽에 들어설 여러 사업장의 허브로 삼아 연구개발과 원활한 생산 측면에서 모두 긴밀한 협업이 이뤄지도록 운영하겠다고 밝혔다.

인텔이 공격적으로 유럽에 시설 투자를 결정한 것은 파운드리 생산 능력을 단기간에 키워야 한다는 현실적 이유 때문이다. 인텔이 반도체 파운드리 사업에서 삼성전자와 TSMC의 점유율을 따라잡으려면 이들을 훨씬 뛰어넘는 수준의 생산 투자가 꼭 필요하다. 자연히 막대한 금액이 든다. 미국과 유럽연합 정부의 지원에 적극적일 수밖에 없는 이유다. 이를 통해 투자에 드는 비용 부담을 분산하고 여러 곳의 공장 투자를 동시에 진행할 수 있다면 매우 효과적인 선택이 될 것이다. 또한 유럽 투자는 유럽에서 파운드리 고객사 기반을 넓히는 데 기여할 수 있는 전략이기도 하다.

유럽 투자 머뭇거리는 삼성의 속내

반면 삼성전자의 유럽 투자는 2023년 6월 현재 구체화된 것이 없다. 이는 충분한 고객사 수요를 확인할 수 없는 곳에는 투자를 서두르지 않는다는 삼성전자의 '선택과 집중' 기조 때문이다. 삼성전자가 미국 반도체 지원법을 노려 텍사스 공장 건설을 결정한 것은 퀄컴, 엔비디아, AMD 등 기존 주요 고객사들의 반도체 물량을 수주하는 데 도움이 될 수 있다는 현실적 판단 때문이다. 반면 유럽에는 삼성전자의 첨단 반도체 생산 공정을 활용할 만한 고객사 기반이 뚜렷하지 않다.

독일에 반도체 파운드리 공장 설립 계획을 검토하고 있는 TSMC가 첨단 미세공정 반도체 대신 투자 비용이 상대적으로 적은 22나노 및 28나노 공정 도입을 우선적으로 고려하고 있는 것도 이 때문이다. 특히 삼성전자가 집중하는 7나노 이하 첨단 공정은 유럽에서 수요처가 제한적이다.

하지만 삼성전자의 투자를 유치하려는 유럽의 '러브콜'은 계속될 것이다. 유럽의회 의원들은 유럽 반도체 지원법 발의안을 채택하는 자리에서 한국과 대만, 일본 및 미국과 협력을 강화하는 데 집중하겠다고 말했다. 한국을 직접적으로 언급한 것은 삼성전자를 염두에 둔 것으로 해석된다. 시스템반도체와 메모리반도체에서 핵심 기술을 다수 보유하고 있는 삼성전자는 유럽연합이 우선적으로 노리는 기업이다. 충분한 투자 여력도 갖추고 있다. 삼성전자도 생산 거점 다변화를 통해 지정학적 리스크에 따른 잠재적 위험성을 낮춰야 할 필요가 있다.

앞으로 미중뿐만 아니라 유럽까지 포함한 무역전쟁 양상은 더욱 뚜렷해질 것이다. 따라서 지금처럼 우리나라에서 대부분의 반도체 생산을 집중하는 구조는 지속가능성을 보장하기 어렵다. 이미 전기차와 배터리 분야에서 자국 내 생산 제품이 아니면 불이익을 주는 정책이 중국과 미국에 이어 유럽까지 확산될 조짐이 나타나고 있다. 반도체 분야에서도 이러한 흐름이 점차 뚜렷해질 것이다.

유럽은 궁극적으로 완전한 반도체 자급 체제를 구축하려 할 것이다. 유럽 자동차 기업의 수요를 삼성전자가 흡수하려면 유럽 내에 반도체 공장을 세울 수밖에 없다. 이는 삼성전자에게 위기이자 기회이다.

삼성전자의 중요한 라이벌 기업 가운데 하나인 인텔이 TSMC를 뒤따라 반도체 생산 거점을 다변화하는 데 속도를 내는 것은 중요한 교훈을 준다. 코로나19 사태, 그리고 미중 갈등과 같은 지정학적 리스크를 계기로 반도체 공급망이 파편화되는 '디커플링' 추세 속에서 빠르게 적응해야만 살아남을 수 있다는 것이다. 인텔은 과거의 패착을 딛고 파운드리 중심으로 새 성장동력을 확보해나가는 과정에서 각국의 정책적 수혜를 적극적으로 노리며 도약의 발판을 마련하고 있다.

결국 삼성전자는 인텔을 반면교사로 삼아 새로운 산업 환경 변화에 빠르게 적응하면서도 동시에 인텔의 전략을 뒤따라 반도체 공급망 재편 흐름에서 기회를 찾아야 한다. 삼성전자의 목표는 경쟁사인 인텔을 넘어 글로벌 반도체 1위 자리를 수성하는 데 그쳐서는 안 된다. 현재 세계 시장에서 확보하고 있는 영향력을 바탕으로 더욱 과감한 성장 전략에 속도를 내야 '삼성 인사이드' 시대의 도래를 자신할 수 있기 때문이다.

제4장

VS. 중국

결국 골리앗을 이겨야 한다

신냉전 시대의 최전선, 반도체 패권 다툼

"반도체 기업들은 이제 기술력뿐 아니라 전 세계의 정치적 환경 변화에 집중해야만 한다."

「블룸버그」가 2022년 말 미국과 중국의 반도체 패권 경쟁을 다룬 기사의 제목은 삼성전자가 직면한 어려움을 함축적으로 보여준다.

지금까지 반도체 경쟁에서 가장 중요한 요소는 생산 능력과 기술력이었다. 삼성전자가 반도체 1위 자리에 오를 수 있던 것은 이 두 요소에서 우수한 능력을 갖췄기 때문이다.

하지만 이제는 정치적 환경을 따져야 하는 시대가 됐다. 미국은 트럼프와 바이든 행정부를 거치며 중국 반도체 산업을 겨냥한 공격을 확대하고 있다. 미중 갈등이 글로벌 시장에 미치는 영향을 세밀히 살피고 두 국가의 정책적 변화에 발 빠르게 적응하는 것이 사업의 경쟁력 유지에 중요해졌다.

미국과 중국의 갈등은 '신냉전 시대'의 개막으로 이어지고 있다. 그리고 신냉전 시대의 중심에는 반도체 패권을 둘러싼 경쟁이 자리하고 있다. 반도체 경쟁력은 전자제품과 자동차, IT 등 여러 핵심 산업은 물론 미래 첨단 산업과 군사 분야에서도 매우 중요하다. 따라서 반도체 산업을 둘러싼 미중 간의 경쟁을 경제적인 관점만으로 바라봐선 안 된다.

특히 고성능 반도체가 무인기 같은 인공지능 기반의 무기 개발에 중요해지면서 반도체는 미중 갈등의 중심으로 떠올랐다. 이는 우리나라를 비롯한 동맹국에도 영향을 미치고 있다.

특히 한국과 대만은 이러한 정치적 대립 국면에서 취약할 수밖에 없는 위치에 놓여 있다. 두 국가 모두 지리적으로는 중국과 가깝지만, 미국의 중요한 동맹이기 때문이다. 시진핑 집권 이후 중국은 대만 문제에 대해 강경한 자세를 보이고 있다. 우리나라 입장에서 보면, 중국은 그 자체로 삼성전자와 SK하이닉스의 경쟁상대다. 정부 차원에서 주요 산업에 막대한 자본을 투입할 수 있는 역량과 체제를 갖춘 중국이 반도체 산업 육성 정책을 본격화하면서 우리나라 반도체 기업에 실질적 위협이 된 것은 오래전 일이다. 반도체뿐만 아니라 중국 정부의 지원을 등에 업은 중국 기업들은 디스플레이,

인공지능, 스마트폰 등 다양한 분야에서 우리 기업, 특히 삼성전자의 경쟁상대로 떠올랐다. 삼성전자는 사실상 중국의 특정 기업을 경쟁사로 두고 있는 것이 아니라 주요 산업 지원 정책에 공격적으로 힘을 싣는 중국 정부에 맞서고 있는 실정이다.

한편으로 미국 정부는 삼성전자를 사실상의 동맹으로 끌어들이기 위해 다양한 유인책을 제시하고 있는데, 이는 삼성전자에게 마냥 좋은 신호는 아니다. 미국과 중국은 모두 삼성전자의 핵심 시장이다. 어느 한 편을 선택할 수 없다.

이번 장에서는 중국이 삼성전자를 위협하는 세력으로 부상해온 역사와 배경을 짚어볼 것이다. 그리고 신냉전 시대를 맞은 삼성전자의 고민과 과제를 알아보고, 삼성전자가 피해를 최소화하기 위해 선택해야 할 방어 전략을 알아본다.

시진핑의 반도체 굴기를 향한 꿈

"우리는 과학기술 분야에서 자생력과 경쟁력을 기르기 위해 힘써왔다. 이를 통해 미래 전략 산업을 포함한 핵심 기술 영역에서 혁신을 지속했다. 특히 우주항공과 슈퍼컴퓨터, 바이오 및 원자력 분야에서 세계를 선도하고 있다. 그러나 그 발전이 불균형했다는 점에서 아직은 한계가 있다."

2022년 10월 18일, 중국공산당전체대회에서 시진핑 주석은 자신이 집권한 이후의 경제적 성과와 정치체계 확립에 대해 이렇게 설명했다. 이날은 시진핑 주석의 연임이 확정되어 '3기 체제'가 개막한 날이기도 하다. 시진핑은 자신의 집권 3기 주요 목표로 우수한 기술 인재 육성과 완전한 자급체제 구축을 강조했다. 당시는 미국 정부가 반도체 등 영역에서 중국의 주요 기업들이 미국의 기술 전문인력을 영입하는 것을 사실상 차단하는 조치를 내린 시점이었다. 직접적으로 이를 언급하지는 않았지만 다분히 미국과 벌이고 있는 무역전쟁을 의식한 발언으로 해석된다.

정부의 대대적 지원으로 몸집 키운 중국 반도체

미국 정부는 도널드 트럼프 대통령 시절부터 중국의 반도체 굴기(倔起)를 꺾기 위해 여러 전략을 시도했다. 반도체 굴기는 말 그대로 중국 반도체 산업을 본격적으로 일으키겠다는 의지의 표현이다. 중국 정부는 이를 위해 자국 반도체 기업의 시설 투자와 기술 및 인력 확보, 공장 운영 등을 꾸준히 지원해왔다.

익히 알려졌다시피 중국의 대규모 산업은 대부분 정부 주도로

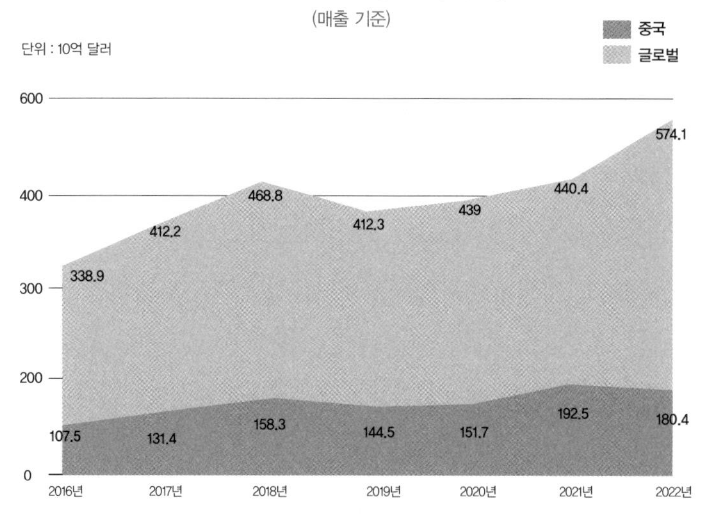

출처: 반도체산업협회(Semiconductor Industry Association)

진행된다. 반도체 산업은 특히 중국 정부의 막대한 지원을 받아왔다. 중국은 2014년부터 약 17조 원에 이르는 정부 펀드를 조성해 자국 반도체 기업을 육성해왔는데, 미국의 견제가 현실화되자 펀드 규모를 두 배로 늘렸다. 시진핑 3기 체제에서도 반도체 기업에 1조 위안, 우리 돈으로 182조 원 안팎의 보조금과 세액공제를 제공하는 반도체 지원 패키지 도입이 논의되고 있다. '하나의 중국' 원칙을 앞세워 대만의 영토 주권을 확보하려는 움직임에는 TSMC와 같은 대만 반도체 기업의 기술을 차지하겠다는 의도가 깔려 있다.

화웨이의 시스템반도체 설계 기업인 하이실리콘(HiSilicon)과 칭화유니그룹 산하 YMTC, 반도체 파운드리 업체 SMIC 등은 정부 지원의 최대 수혜 기업들이다. 하이실리콘은 미국 정부의 제재로 퀄컴 등으로부터 반도체를 사들이기 어려워진 중국 스마트폰 업계의 경쟁력 유지에 기여하고 있다. YMTC는 메모리반도체인 낸드플래시, SMIC는 미세공정 파운드리 분야에서 두각을 나타내며 삼성전자와의 기술 격차를 빠르게 좁히고 있다.

트럼프 정부 시절부터 중국의 반도체 기업에 대한 여러 제재가 취해졌지만, 중국 정부의 반도체 산업 육성 의지를 꺾기는 힘들어 보인다.

트럼프보다 더 독한 바이든

2018년 미국 상무부는 중국 D램 전문기업인 푸젠진화(JHICC)가 미국 기업에서 소프트웨어와 반도체 장비, 소재 등을 사실상 수입할 수 없도록 규제했다. 푸젠진화가 마이크론의 반도체 기술을 무단으로 사용했다는 혐의를 받고 있던 시점에 내려진 조치였다. SMIC에 대해서도 중국인민해방군을 돕고 있다는 이유로 고성능 반도체 생산에 필요한 장비와 부품 구입을 막았다. 그러나 중국 반도체 기업들은 이러한 미국의 규제를 뚫고 기술 경쟁력을 높여왔다.

2021년, 트럼프 대통령이 연임에 실패하고 민주당의 바이든이 당선되면서 중국 정부는 다소 낙관적인 기대감을 품었다. 민주당은 그전까지 공화당과 비교해 대중국 무역에 열린 태도를 보여왔기 때문이다. 중국 반도체 기업을 겨냥한 수출 규제가 일부 해소될 것이라는 전망이 나오기도 했다.

그러나 바이든 정부는 트럼프 정부보다 오히려 더 강경한 자세를 보이고 있다. 미국의 반도체 기술 경쟁력을 되찾고 제조업을 재건하겠다는 목표 아래 더 강한 규제를 하고 있는 것이다. 특히 우리나라, 일본, 대만, 네덜란드 등 반도체 기술력을 갖춘 동맹국가와 힘을 합쳐 중국을 세계 반도체 공급망에서 고립시키는 조치까지 추진하고 있다.

여기에 더해 미국 반도체 장비 업체들이 중국에 판매할 수 없는 제품 종류를 추가하고 있고, 반도체 개발과 생산에 꼭 필요한 자동화 소프트웨어도 사실상 수출을 막았다. 나아가 시민권과 영주권 제한 조치를 통해 중국 국적의 전문 인력들이 미국 반도체 기업에 취업하는 것도 막고 있다.

시진핑 주석이 중국공산당전체대회에서 중국의 기술 한계를 강조하며 인재 육성에 더욱 힘써야 한다고 말한 것은 이 같은 규제가 본격적으로 도입되던 시점이었다. 중국 반도체 산업에 어느 정도 성장의 여지를 남겨두었던 트럼프와 달리 바이든 정부가 내놓은 조치는 사실상 중국 반도체 산업에 결정적 타격이 될 조치들의 연속이다.

미국의 중국 견제, 삼성에게 유리할까

중국의 반도체 굴기는 삼성전자를 비롯한 우리나라 반도체 기업의 가장 큰 중장기적 리스크였다. 특히 삼성전자는 중국 정부가 반드시 넘어야 할 산으로 지목되어왔다. 중국 정부는 시스템반도체와 메모리반도체 양쪽 분야에서 글로벌 상위 기업으로 입지를 키워가는 삼성전자를 따라잡는 데 주력해왔다. 삼성전자는 중국의 특정 기업이 아닌 중국 정부 자체를 상대로 경쟁해야 하는 상황이었다.

집권 3기를 맞아 시진핑 주석이 중국의 완전한 반도체 자급체제 구축을 중장기 목표로 내건 것은 삼성에게 큰 타격을 줄 것으로 예상된다. 중국은 삼성전자의 최대 반도체 수출국가인 만큼 중국 정부의 견제로 중국 고객사를 놓치게 된다면, 실적 기반 자체가 흔들릴 수 있다.

따라서 중국의 반도체 산업을 정조준한 미국 정부의 규제는 삼성전자에게 큰 반사이익이 될 수 있다. 중국이 반도체 경쟁력 확보에 실패한다면 삼성전자는 중국 기업의 거센 추격에서 자유로워질 수 있기 때문이다. 그러나 현실은 그리 간단하지 않다.

규제를 오히려 발전의 원동력으로

중국 정부는 미국의 잇따른 수출 규제에 강력하게 반발하고 있다. 중국 외교부 대변인이 미국의 반도체 장비 판매 제한에 대해 '기술 테러리즘'이라고 표현했을 정도다. 중국 정부 입장을 대변하는 관영매체 「글로벌타임스(Global Times)」는 미국의 반도체 산업 규제가 자국의 약점을 감추려는 시도에 불과하다고 지적하기도 했다. 미국이 세계 반도체 시장에서 영향력을 잃어가자 중국의 발전을 방해하는 방식으로 경쟁 우위를 확보하려 한다는 것이다. 이 매체는 또한 수출 규제 조치가 오히려 미국 반도체 장비 업체의 실적 악화와 경쟁력 감소를 불러올 것이라며 미국 경제에 타격을 입히는 자충수가 될 것이라고 비판했다.

한편 시진핑 주석이 중국공산당전체회의에서 강조한 대로 미국의 수출 규제가 오히려 중국의 반도체 기술 발전을 촉진하는 계기가 될 것이라는 전망도 있다. 애초 중국은 반도체 연구개발 및 생산 투자에 집중하면서도 반도체 장비와 소재 등 분야를 키우는 데는 상대적으로 소홀했다. 중국 정부는 뒤늦게 이런 실책을 파악하고 반도체 장비를 포함한 원천 기술 확보에 집중하는 쪽으로 노선을 바꾸고 있다. 반도체 굴기를 위해 뿌리부터 더욱 탄탄하게 준비하고 있는 것이다. 다만 이런 노력이 결실로 이어지기까지는 상당한 시간이 필요해 보인다.

현재 중국 정부의 지원을 받는 중국 반도체 장비 업체는 80여 곳에 이르는 것으로 추정된다. 이들은 반도체 기업들과 정부의 직접 지원을 바탕으로 기술 역량을 키우고 있다. 시진핑 정부가 미국의 규제를 위기 극복의 기회로 삼아 반도체 굴기를 위한 2차 시도에 성과를 낸다면 이는 중장기적으로 삼성전자와 우리나라 반도체 산업, 더 나아가 경제 전반에 큰 위협이 될 것이다.

삼성은 누구 편인가

"이재용 삼성전자 회장에게 가장 골치 아픈 과제는 미국이 주도하는 지정학적 게임에 대응하는 것이다. 미국과 관련한 여러 리스크로 삼성전자가 압박을 받는 상황에서 이재용 회장이 승진하며 쉽지 않은 결정을 해야만 하는 처지에 놓이게 됐다."

「글로벌타임스」에서 2022년 10월 이재용 회장이 삼성전자 회장에 오른 직후 내놓은 보도의 일부이다. 경고에 가까운 메시지라 할 수 있다. 이재용 회장이야말로 중국이 삼성전자에 차지하는 중요성을 가장 잘 알고 있을 인물이라고 평가하면서도, 중국 반도체 시장을 사실상 포기하라는 미국 정부의 압박을 넘어서야 한다고 훈수를 둔 것이다. 미국 정부의 압박에서 벗어나지 못한다면 결국 아시아를 중심으로 구축된 반도체 공급망이 파괴되고, 삼성전자, 나아가 한국의 경제적 피해로 이어질 수밖에 없다는 것이 「글로벌타임스」의 주장이다.

이 보도는 중국의 입장을 일방적으로 반영하고 있다. 그러나 이재용 회장이 앞으로 풀어나가야 할 중장기 핵심 과제 가운데 하나를 정확히 짚고 있어 주목할 필요가 있다.

앞에서 언급한 것처럼 미국은 자국 기업뿐만 아니라 삼성전자를 비롯한 다른 국가의 반도체 기업들이 중국과 거래하는 것을 사실상 규제하기 시작했다. 그러나 삼성전자는 미국의 이해관계에 무조건 맞출 수 있는 입장이 아니다. 중국 반도체 시장은 삼성전자에게도 최대 시장이며, 중국 시안에는 삼성전자의 낸드플래시 공장이 있다. 자연히 중국을 겨냥한 미국 정부의 압박은 삼성전자에 대한 압박이 될 수밖에 없다.

선택을 강요당하다

미국 정부의 반도체 수출입 규제에는 미세공정 반도체 생산에 필수적으로 쓰이는 EUV(극자외선) 장비와 3D낸드플래시 생산에 필요한 에칭(etching) 장비 등이 포함돼 있다. 이 규제는 중국 반도체 기업뿐 아니라 중국에 공장을 운영하는 해외 기업에도 적용된다. 삼성전자와 SK하이닉스 등 중국에 반도체 생산 공장을 운영하는 기업들도 원천적으로 반도체 생산 라인 증설이나 공정 개선에 필요한 장비를 새로 들여놓을 수 없게 된 것이다.

미국 정부는 우리나라 반도체 기업에 1년의 유예기간을 주었지만, 그 이후에는 정책 방향성이 어떻게 흘러갈지 예측하기 어렵다. 현재 1년의 추가 연장이 유력하게 논의되고 있지만, 여전히 일시적 조치에 불과하다. 유예기간이 주어졌다 하더라도 미국 정부의 무언의 압박을 생각하면 중국 공장에 대규모 시설 투자를 하기란 쉽지 않다.

삼성전자는 텍사스 테일러 파운드리 공장 건설을 통해 미국 반도체 지원법에 따른 수혜를 기대하고 있는 만큼 더 큰 딜레마를 안게 됐다. 미국 상무부가 미국 정부 지원을 받는 반도체 기업은 앞으로 10년 동안 미국의 안보를 위협하는 국가, 즉 중국에 일정 비중 이상의 첨단 반도체 생산 투자를 해서는 안 된다는 내용을 단서 조항으로 넣었기 때문이다. 레거시 공정 등 일부 예외가 적용되긴 했지만, 투자 내역을 미국 정부에 수시로 보고해야 하는 등 까다로운 제약이 붙어 있다.

삼성전자가 미국의 요구사항을 받아들인다면 중국 내 반도체 공장에는 거의 투자를 할 수 없게 된다. 삼성전자가 미국의 지원과 중국에서 거두는 반도체 실적 가운데 하나를 선택해야만 하는 상황에 놓이게 된 것이다.

미국은 반도체 파운드리 핵심 고객사들이 있는 중요한 시장이다. 삼성전자가 퀄컴과 엔비디아, AMD 등 기업의 시스템반도체 위탁생산을 수주하기 위해서는 정부 지원을 받아 텍사스에 신설하는 파운드리 공장의 경제성을 확보해야 한다.

그러나 미국 정부의 규제 때문에 중국 낸드플래시 공장에 투자를 이어갈 수 없게 된다면 중국 고객사들의 수요에 대응하기 어려워진다. 더불어 메모리반도체 사업의 기반을 유지하는 일도 불가능하다. 삼성전자 입장에서는 어떤 선택을 하더라도 상당한 수준의 대가를 치러야 하는 처지다.

선택의 순간이 다가온다

현재까지 상황만 보면, 바이든 정부는 중국에 대한 반도체 산업 규제에 확실한 승기를 잡아가고 있는 것으로 보인다. '이기는 편'에 합류하는 것이 중장기적 관점에서 유리하다는 점을 고려한다면 삼성은 중국에서 벌이고 있는 반도체 사업을 점차 철수해야 할 것이다.

그러나 삼성전자는 아직 조심스러운 태도를 보이고 있다. 섣불리 어느 한쪽을 택했다가 잠재적 리스크를 실질적 리스크로 만들어버릴 수 있기 때문이다.

중국 정부는 일단 삼성전자와 같은 해외 반도체 기업을 적극적으로 회유해 중국 투자를 유도하는 쪽으로 노선을 잡은 것으로 보인다. 이는 중국 정부 관계자들의 최근 발언이나 관영매체 보도에서 확인할 수 있다.

중국국가발전위원회의 자오첸신 부국장은 2022년 말 공산당전체회의를 마친 뒤 기자회견에서 "해외 기업의 시설 투자와 생산 설비 운영이 모두 원활하게 이뤄질 수 있도록 대응하고 투자를 적극적으로 받아들여 국제사회 발전에 기여하겠다"고 말했다. 이는 시진핑의 연임이 결정된 직후 발표된 입장이란 점에 의미가 있다. 「글로벌타임스」는 논평을 통해 세계 반도체 기업들이 미국 정부의 요구를 받아들이는 대신 중국과 같이 영향력 있는 시장에서 지속가능한 성장을 추진해야 한다는 권고를 내놓기도 했다.

곧 선택의 시간이 다가온다

미국 정부도 중국과 마찬가지로 반도체 패권 경쟁에서 승리하기 위해 반도체 강국을 자신의 편으로 끌어들이려는 노력을 강화하고 있다. 바이든 정부가 추진해온 칩4 동맹이 대표적 시도다.

칩4 동맹은 미국이 한국과 일본, 대만 등 아시아 지역의 반도체 주요 국가와 협력체를 구성하고 반도체 분야에서 다양한 협업 기회를 모색하자는 목표 아래 추진되어왔다. 그러나 그 기저에는 중국의 주변 국가들을 동맹으로 포섭해 중국을 반도체 공급망에서 고립시키겠다는 의도가 깔려 있다.

우리 정부는 지금까지 칩4 동맹 참여에 소극적이었다. 중국 정부의 보복을 우려했기 때문이다. 대중국 수출이 우리나라에서 차지하는 중요성을 따진다면, 표면적으로 중국과 적대하는 일은 바람직하지 않다. 특히 중국의 사드(THAAD) 보복 사태가 관광과 유통업계 등에 막대한 손해를 입힌 전적을 고려한다면 우리나라가 칩4 동맹에 적극적으로 참여하기란 쉽지 않다. 물론 우리는 미국과도 국가 안보와 경제 협력에서 뗄 수 없는 동맹 관계이기 때문에 미국의 요구를 마냥 외면할 수도 없다.

대만 역시 칩4 동맹 참여에는 다소 유보적 태도를 보이고 있다. TSMC가 실적의 큰 부분을 중국에 의존하고 있으며 중국에 대규모 반도체 생산 공장을 운영하고 있기 때문이다.

이런 기류 때문인지 최근 미국 정부는 칩4 동맹에 집중하는 대신 일본과 네덜란드의 수출 규제 참여를 독려하는 쪽으로 방향을 선회하고 있다. 일본은 주요 반도체 장비와 화학 소재의 핵심 수출국이고 네덜란드는 반도체 노광(lithography) 장비 분야의 독보적 기업으로 꼽히는 ASML을 보유하고 있다.

바이든 정부가 중국 반도체 산업을 향한 규제에 대한 태도를 바꾸지 않는 이상 삼성전자의 리스크는 갈수록 커질 수밖에 없다. 이런 기조가 유지된다면 멀지 않아 삼성전자가 미국이냐, 중국이냐를 선택해야 하는 순간이 올 것이다. 이는 삼성전자의 미래를 결정할 가능성이 높다. 따라서 이재용 회장이 앞으로 큰 난관을 헤쳐나가야만 하는 입장에 놓였다는 중국 매체의 주장은, 입장은 달라도 핵심을 정확하게 짚어낸 분석이다.

왜 YMTC는 미국의 눈엣가시가 되었나

"애플은 위험한 불장난을 하고 있다. YMTC가 불러올 안보 위험을 알면서도 반도체 구매 계획을 강행한다면 연방정부에서 이전에 볼 수 없었던 수준의 강력한 조사를 받게 될 것이다. 수많은 미국인이 쓰는 아이폰과 네트워크에 중국 공산당이 관련되도록 할 수는 없다."

중국 반도체 기업을 겨냥한 미국 정부의 규제를 불러온 결정적 사건의 중심에는 애플이 있다. 공화당의 유력한 대선 후보로 꼽히던 마코 루비오(Marco Rubio) 플로리다주 상원의원은 2022년 9월 「파이낸셜타임스」와의 인터뷰에서 '불장난'이라는 표현을 사용하면서 애플의 중국산 반도체 구매에 반대 의사를 드러냈다. 애플이 아이폰에 사용하는 낸드플래시 메모리 일부를 중국 기업인 YMTC에서 사들이려 한다는 소식이 다양한 채널을 통해 퍼지던 시점이었다.

애플은 이런 뉴스에 대해 "중국에서 판매되는 아이폰 일부에 한해서만 YMTC 반도체 활용을 검토하고 있다"고 밝혔다. 미국인들이 사용하는 아이폰에 중국산 반도체가 들어가는 일은 없을 것이라는 점을 분명히 한 것이다.

또한 애플 제품에 적용되는 낸드플래시 메모리는 완전히 암호화되어 있어 민감한 정보가 유출될 위험성은 없다고 강조했다. 애플은 평소 언론 보도에 해명을 내놓는 경우가 거의 없는 기업이란 점에서 이런 발 빠른 대응은 매우 이례적이었다.

민주당 역시 애플의 중국산 반도체 구매에 민감한 반응을 보였다. 척 슈머(Charles E. Schumer) 상원 원내대표는 애플의 움직임에 우려하고 있다는 성명을 발표했다. 여당 야당 가릴 것 없이 입을 모아 YMTC를 겨냥한 미국 정부의 규제를 촉구하기 시작했고, 애플의 결정을 향한 소비자들의 여론이 악화하기 시작하자 결국 애플은 YMTC의 메모리반도체 조달 계획을 백지화했다. 바이든 정부는 곧이어 YMTC를 비롯한 중국 반도체 기업을 겨냥한 수출 규제 조치를 내놓았다.

중국산 반도체 사용에 대해 미국 정부와 소비자들이 이처럼 민감하게 반응하는 데는 나름의 이유가 있다. 바로 백도어(backdoor) 이슈가 그것이다. 백도어 이슈는 트럼프 행정부 시절, 세계 PC 1위 업체인 레노버(Lenovo)와 네트워크 장비업체 화웨이가 사용자 개인정보와 통신 기록을 중국에 전송하고 있다는 의혹을 가리킨다.

실제로 레노버의 기기에 일부 정보의 외부 유출 위험을 높이는 소프트웨어가 설치된 사실이 확인되면서 350만 달러 상당의 벌금을 내기도 했다. 이 이슈가 불거지자 화웨이는 2019년부터 미국 정부 블랙리스트에 포함돼 미국산 부품 등을 사들이는 데 제한을 받게 됐다.

애플의 불장난에 타버린 YMTC

YMTC는 중국 정부의 반도체 산업 육성 정책의 챔피언으로 통한다. YMTC는 2016년 칭화유니그룹의 자회사로 설립된 반도체 기업이다. 사업 초기부터 시진핑 주석의 큰 기대를 받았다. 3D낸드 기술 연구개발에 지속적으로 투자하며 자체적으로 기술력을 확보하는 데 힘썼고, 생산 설비 구축도 상당히 공격적으로 진행했다. 한때 모기업의 무리한 투자로 파산 위기에 놓이기도 했지만, 중국 국부펀드 등의 지원을 받아 회생에 성공했다.

YMTC는 중국 정부의 전폭적 지지 아래 낸드플래시 핵심 기술인 3D낸드 분야에서 삼성전자와 SK하이닉스, 마이크론 등과의 기술 격차를 빠르게 좁혀왔다. 2022년 연말에는 이들의 기술력을 뛰어넘겠다는 목표를 세울 정도였다. 낸드플래시 시장 점유율에서도 2022년 기준 5%에 가까운 비중을 차지하며 글로벌 시장에서 어느 정도 영향력을 확보하고 있었다. 만약 애플이 YMTC의 메모리 사용을 확정했다면 삼성전자의 실질적 위협으로 떠올랐을 것이다.

애플은 품질 기준이 매우 까다롭기로 유명하다. 이 때문에 애플 부품 공급망에 신규 협력사가 진입하는 일은 쉽지 않다. 그런데 신생 반도체 기업인 YMTC가 낸드플래시 공급사에 선정되었다는 소식은 정치권뿐 아니라 반도체 시장과 세계 전자업계에도 매우 큰 충격이었다.

글로벌 낸드플래시 시장은 삼성전자가 20년 넘게 점유율 1위를 유지하고 있다. 삼성에 더해 SK하이닉스, 웨스턴디지털(Western Digital), 키오시아(Kioxia Holdings Corporation), 마이크론 등 소수 업체가 과점하고 있는 시장이다. YMTC가 다크호스로 급성장한다면 과잉 공급과 가격 경쟁을 촉발해 모든 업체가 피해를 보게 될 수도 있었다. YMTC는 중국 정부의 지원을 받고 있기 때문에 손해를 보더라도 최대한 많은 물량을 저가에 공급하는 전략을 취하고 있었기 때문이다.

그러나 YMTC가 기술 발전과 저가 공세를 앞세우며 성장세를 높이던 시점은 미국 정부가 중국 반도체 산업을 향한 규제 방안을 본격적으로 도입하려던 시기와 맞물렸다. 애플에 반도체를 공급하는 것이 성장에 중요한 계기로 작용해야 했지만, 오히려 미국 정치권의 타깃이 되어 역효과를 낳은 셈이다.

바이든 정부는 2022년 YMTC가 허가 없이 미국의 부품과 반도체 장비 등을 사들이지 못하도록 했다. 이는 YMTC가 더 이상 생산 투자를 진행하기 어려워졌다는 것을 뜻한다.

결국 2022년 말 착공이 예정되어 있던 YMTC의 두 번째 반도체 공장 건설 계획은 사실상 무산되었다. 2023년 들어서는 대규모 인력 구조조정을 통해 사업을 축소하는 수순에 접어들었다. YMTC는 중국 현지 업체의 반도체 장비를 도입해 2024년부터는 신공장을 가동하겠다고 발표했지만, 현재 기술력을 고려한다면 실현 가능성은 크지 않다.

YMTC발 치킨게임

미국의 대응과 YMTC의 실패는 삼성전자에 분명히 긍정적 소식이다. YMTC의 급성장은 삼성전자의 메모리반도체 사업에 분명한 실체가 있는 리스크로 떠오르고 있었기 때문이다. 중국이 반도체 육성 정책에 자신감을 가지고 YMTC의 연구개발 및 시설 투자를 더 적극적으로 지원했다면 삼성전자가 장기간 주도해오던 메모리 반도체 시장의 판도가 크게 흔들렸을 것이다.

실제로 YMTC는 최신 3D낸드 기술을 적용한 제품 라인업을 확대하며 그동안 선두 기업들이 지배하고 있던 고성능 SSD 시장에 본격적으로 진출하겠다는 계획을 세우고 있었다. 데이터서버와 슈퍼컴퓨터 등에 사용되는 고부가 SSD 시장에서 삼성전자와 SK하이닉스 등의 과점 체제를 흔들 수 있다는 자신감도 보여왔다. 그러나 미국 정부의 규제로 이러한 목표는 좌절됐다.

다만 YMTC가 미국의 블랙리스트에 오르게 된 일이 단기적으로 시설 투자 및 생산 확대를 자극해 메모리반도체 시장의 공급 과잉을 더욱 심화시킬 수 있다는 전망도 나온다.

YMTC는 미국 정부의 블랙리스트에 포함될 가능성이 거론되기 시작할 때부터 선제적으로 대량의 반도체 장비를 사들였다. 외신 보도에 따르면 YMTC는 2022년 하반기부터 해외에서 확보할 수 있는 장비와 웨이퍼 등 소재 물량을 대규모로 축적해온 것으로 보인다. 당분간 공격적 생산을 할 수 있다는 뜻이다. 이 기간에 사들인 장비와 소재는 최소한 1년에 걸쳐 신규 생산 투자를 진행할 수 있는 분량으로 추정된다.

글로벌 경기 침체 위기와 소비 위축으로 반도체 업황이 침체되고 있는 2023년은 YMTC가 이러한 물량 공세 전략을 시험하기에 적기다. 주요 메모리반도체 기업은 이미 침체를 대비해 반도체 투자를 대폭 축소하고 출하량을 조절하고 있다. 세계 상위 반도체 기업들이 생산을 줄이는 선택은 YMTC와 같은 후발주자가 점유율을 높일 수 있는 절호의 기회다. 메모리반도체 업황이 악화한 가운데 수익성보다 시장 지배력을 우선순위에 두는 기업이 단숨에 상위 기업으로 도약을 노리는 치킨게임을 YMTC에서 주도할 수 있다.

이런 치킨게임은 반도체 업황 침체기가 예상보다 오래 이어지도록 만들 수 있다. 낸드플래시 시장 점유율을 빼앗기지 않기 위해 삼성전자가 치킨게임에 동참한다면 메모리 업황은 더욱 악화되고, 이는 곧 실적에 악영향을 미치게 될 것이다. 반대로 YMTC의 물량 공세를 무시하고 수익성 중심의 전략을 유지한다면 고객사를 빼앗길 수도 있다. 삼성전자로서는 현명한 선택이 필요한 2023년이다.

YMTC의 급성장과 미국의 철퇴에 가까운 규제는 세계 반도체 시장의 현 상황을 단적으로 보여주는 예시다. 삼성전자는 당분간 YMTC의 사업 전략 변화에 따라 불안한 상황에 놓일 수 있다. 그러나 중장기적으로 YMTC가 기술 개발과 투자에 한계를 맞는다면 삼성전자의 메모리반도체 시장 지배력은 굳건히 유지될 것이다.

파운드리 업계의 다크호스, SMIC

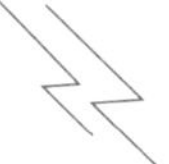

중국 정부의 반도체 육성 정책에 챔피언으로 꼽히는 기업에는 시스템반도체 파운드리 전문 업체인 SMIC도 있다. SMIC는 2000년 설립된 중국 최대 파운드리 기업이다. 퀄컴과 브로드컴, 텍사스인스트루먼츠 등 미국의 대형 반도체 설계 기업들이 한때 SMIC의 고객사였다. 중국 정부의 반도체 산업 지원이 본격화하기 이전부터 SMIC는 세계 시장에서 나름의 입지를 차지하고 있었다. 첨단 시스템반도체 제조 기술은 중국이 인텔과 같은 미국 기업의 반도체 기술력을 뛰어넘기 위해 반드시 차지해야 하는 핵심 역량이다. 중국 정부가 SMIC를 '제2의 TSMC'로 성장하도록 만들겠다는 목표를 두고 다방면으로 투자를 지원한 것은 이 때문이다.

TSMC 성공 방정식에 정부 지원을 더하다

SMIC의 역사는 TSMC의 역사와 맞닿아 있다. 두 기업 사이에는 비슷한 점도 많고, 연결고리도 있다. 장중머우 TSMC 창업주는 텍사스인스트루먼츠에서 장기간 근무한 경험을 바탕으로 대만 정부의 전폭적 도움을 받아 TSMC를 세웠다. SMIC의 창업자인 장루징(張汝京) 역시 20대 때부터 텍사스인스트루먼츠에서 일하며 반도체 업계에서 경험을 쌓았다. 특히 대규모 반도체 공장 투자 프로젝트에 다수 참여하며 관련 노하우를 배웠다. 대만이 장중머우를 영입해 TSMC를 설립하고 반도체를 국가 핵심 사업으로 키워내는 데 성공하자 중국 정부도 장루징에게 반도체 기업을 신설하자고 제안했다.

하지만 장루징은 중국의 요청을 거절하고 대만에서 투자를 받아 스다반도체(斯達半導體)를 창업했다. 스다반도체는 대만 파운드리 업계에서 TSMC와 UMC를 빠르게 추격하며 3위 기업으로 올라섰지만, 대주주의 판단에 따라 TSMC에 매각됐다. 장루징은 스다반도체가 인수된 뒤에도 장중머우와 인연을 이어가며 TSMC에 영향력을 행사했다. 하지만 TSMC가 중국에 반도체 공장을 설립해 성장 기회를 잡아야 한다는 자신의 주장이 받아들여지지 않자 2000년, 중국에서 SMIC를 설립했다.

장중머우가 대만에서 '반도체의 아버지'라 불리는 것처럼 장루징도 '중국 반도체의 아버지'라는 별칭을 갖고 있다. 이는 SMIC가 중국 반도체 산업의 발전에 하나의 성장 모델을 세웠기 때문이다.

파운드리 사업은 그 특성상 처음부터 막대한 투자 비용이 필요하다. SMIC는 사업 초기, 중국 지방정부와 공동으로 반도체 공장을 건설했다. 이는 일반적인 반도체 기업들이 공장 설립에 맞춰 지방정부 또는 중앙정부에 자금 지원을 요구하는 것과 달리 각 지방자치단체가 직접 투자에 참여해 중장기적으로 더 큰 이익을 거둘 수 있는 기회를 제공했다는 점에서 획기적이었다. 반도체와 같은 첨단 산업 단지를 적극적으로 유치해 경제 성장을 추진하던 지방정부 입장에서 SMIC의 사업 모델은 상당히 매력적이었다.

그러나 반도체 미세공정 기술이 발전하면서 파운드리 공장 한 곳을 건설하는 데만 해도 막대한 비용이 들어가자 지방정부의 재원으로는 투자를 감당하기 어려워졌다. 결국 SMIC는 중국 중앙정부에 손을 내밀게 된다.

SMIC의 성장세에 주목하고 있었던 중국 정부는 국영펀드 등을 활용해 14나노 등 첨단 반도체 시설 투자에 자금을 지원했다. 이를 통해 SMIC의 반도체 공장은 사실상 정부 소유에 가까워졌다. SMIC는 모토로라 등 다른 기업의 반도체 공장을 인수하며 파운드리 사업을 더욱 공격적으로 확장했다. 이후 SMIC는 중국 정부의 지원을 바탕으로 성장한 기업이라는 평가를 받게 됐다.

SMIC를 TSMC만큼 영향력 있는 기업으로 키워내겠다는 중국 정부의 의지가 굳어지면서 자연히 두 회사는 경쟁을 넘어 대립 관계를 형성했다. 신경전은 곧 법정 공방으로 이어졌다. TSMC가 SMIC를 상대로 미국 법원에 기술특허 및 지식재산을 침해한 혐의로 소송을 제기한다. TSMC는 SMIC가 처음 설립될 때부터 180명에 이르는 자사 직원을 영입하며 반도체 파운드리 관련 기술 문서를 빼내도록 지시했다는 주장을 내놓았다. 실제로 SMIC는 TSMC뿐 아니라 삼성전자의 기술 인력을 영입하면서 기술 탈취 논란을 빚은 전력이 있다. 미국 법원은 TSMC의 손을 들어줬다. SMIC는 상당한 규모의 합의금을 내야 했고, 장루징은 이 사건을 계기로 경영에서 물러났다.

반도체 기술 유출 여부를 두고 이처럼 치열한 공방이 벌어진 근본적 원인은 SMIC의 기술적 한계 때문이다. TSMC와의 소송으로 흠집을 입긴 했지만, SMIC는 내수시장을 중심으로 꾸준히 고객사 기반을 확대해나갔다. 중국 내 반도체 위탁생산 고객사들이 대부분 미세공정 반도체보다 기술 수준이 낮은 전력 반도체 등을 필요로 했기에 가능한 성공이었다.

외형을 키워나가던 SMIC는 미세공정 연구개발에도 투자를 지속했다. 스마트폰 프로세서 등 고사양 반도체에 쓰이는 14나노 이하 반도체 공정의 상용화는 그 성과물이다. 화웨이와 같은 중국 기업이 주요 고객사로 자리 잡으면서 실적이 크게 개선되기도 했다.

미국의 계속된 규제, 규제, 규제

2018년부터 SMIC는 ASML의 EUV 장비를 주문하며 삼성전자와 TSMC 등 상위 기업의 반도체 제조 기술력을 따라잡겠다는 강한 의지를 보였다. 당시 반도체 미세공정 경쟁의 중심은 7나노 공정으로 이동 중이었다. 글로벌파운드리나 UMC 등 파운드리 업계 상위 업체들은 기술적 한계를 실감하고 더 이상 첨단기술 경쟁에 역량을 집중하지 않는 쪽으로 방향을 선회했다. 삼성전자와 TSMC가 빠른 속도로 기술력을 높여나가면서 양강 체제를 구축하고 있던 만큼 이를 따라잡기는 현실적으로 어렵다고 판단한 것이다.

하지만 SMIC는 7나노 이하 미세공정 반도체 생산에 필요한 EUV 장비를 사들이면서 기술 발전을 지속하겠다는 뜻을 명확히 했다. 이런 공격적 전략은 당연히 삼성전자와 TSMC에 잠재적 위협이었다.

그러나 SMIC의 과감한 도전은 미국 정부를 자극하게 된다. 미국은 네덜란드에 적극적으로 영향력을 행사해 2019년 ASML이 중국 기업에 EUV 장비를 판매할 수 없도록 했다. ASML은 전 세계에서 유일하게 EUV 반도체 장비를 생산하는 기업이다. 이 회사 장비의 중국 수출을 막는다면 SMIC의 7나노 이하 반도체 미세공정 기술의 개발과 생산은 불가능하다. 2020년에는 미국 기업들도 SMIC 및 계열사를 대상으로 거래를 할 때 반드시 상무부의 허가를 받도록 했다. 당시 상무부는 SMIC의 반도체 기술이 중국에서 군사 목적으로 쓰일 수 있다는 점을 이유로 들어 제재를 강화했다.

SMIC는 미국 정부의 규제로 직격타를 맞았지만, 곧 저력을 보여줬다. 자체 기술로 7나노 반도체를 개발해 중국 내 고객사에 공급한 것이다. ASML의 EUV 장비가 없어도 7나노 반도체를 생산할 수 있는 능력을 갖췄다는 점은 중국이 인공지능과 같은 첨단 산업 분야에 필요한 시스템반도체의 자급 체제를 구축했다는 의미다. 해당 기술은 TSMC가 7나노 공정에 활용한 것과 유사한 기술로 추정된다. SMIC가 이러한 성과를 외부에 알리지 않고 조용히 위탁생산에 돌입한 것은 미국 정부의 추가 제재 가능성을 우려했기 때문으로 보인다. SMIC의 7나노 반도체는 양산 수율이나 성능 등 측면에서 TSMC나 삼성전자에 크게 뒤떨어진 수준으로 추정된다.

그러나 미국 정부는 이를 바라만 보고 있지 않았다. 바이든 정부는 트럼프 시절에도 도입하지 않았던 취업 제한 조치를 카드로 꺼내들었다. 미국 시민권자와 영주권자가 중국 반도체 기업에서 일하면 불이익을 받도록 한 것이다. 그동안 미국 출신의 엔지니어를 다수 영입해왔던 SMIC는 더 이상 인재 영입이 불가능해졌다. 취업 제한 조치가 시행되자 중국 주요 반도체 기업에서 근무하던 미국 출신 임원들이 사임하거나 기술자들이 대거 회사를 떠났고, SMIC는 회사를 설립한 이래 가장 큰 위기를 맞게 됐다.

모바일과 데이터서버에 이어 인공지능과 메타버스, 자율주행차 등 신산업의 성장이 본격화되며 반도체 파운드리 시장이 호황기를 앞두고 있던 시점에서 중국이 미국의 규제로 직격타를 받게 된 일은 삼성전자에는 긍정적이다. 정부 지원을 바탕으로 빠르게 입지를 키우던 SMIC가 첨단 반도체 미세공정 분야에 도전할 수 있는 경로가 사실상 모두 차단되었기 때문이다. 파운드리 시장의 경쟁은 당분간 TSMC와 삼성전자, 그리고 새 도전자인 인텔을 중심으로 이뤄지게 될 것으로 보인다.

SMIC는 여전히 28나노 이상의 구형 반도체 시장에서 상당한 점유율을 차지하고 있다. 규모로 보면 세계 5위다. 이를 고려한다면 구형 반도체 시장에서 매출을 내고 있는 TSMC는 SMIC의 위험에서 완전히 자유롭지 않다. 반면 삼성전자는 미세공정 반도체 생산에 연구개발 및 투자 여력을 집중한다는 방침이어서 미국 정부 규제에 따른 반사이익을 온전히 누리며 중국의 계속되는 시스템반도체 물량 공세에도 큰 영향을 받지 않을 것으로 보인다.

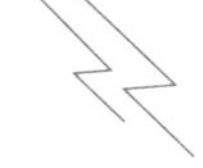

라피더스, 반도체 굴기의 나비효과

일본은 한때 세계에서 손꼽히는 반도체 생산 국가였다. 지금도 반도체 장비와 소재 분야에서 높은 경쟁력을 갖추고 있다. 미국은 이를 고려해 일본을 대중국 규제에 끌어들이고 있다. 일본의 반도체 장비와 소재가 미치는 파급력은 2019년 우리나라를 정조준했던 수출 규제에서 확인할 수 있다. 당시 일본 정부는 우리나라 대법원의 일제강점기 강제 징용 문제와 관련한 재판 결과에 불만을 품고 핵심 반도체 소재의 공급을 우회적으로 막는 조치를 취했다. 이로 인해 한때 삼성전자와 SK하이닉스의 반도체 생산에 차질을 겪을 것이라는 전망이 나오기도 했다. 다행히 정부 주도의 '소부장(소재, 부품, 장비)' 육성 정책과 반도체 기업들의 수급처 다변화 노력으로 위기를 넘을 수 있었다. 하지만 동일한 상황이 중국을 상대로 벌어진다면 중국은 대안을 찾기 쉽지 않아 보인다.

옛 영화 찾기 위한 일본의 노력

일본 정부는 미국과 중국의 반도체 갈등을 계기로 고사양 반도체 개발과 생산 분야에서 자체적으로 경쟁력을 확보해야만 한다는 결론을 내렸다. 한국과 대만에 이어 미국과 중국이 자국 반도체 산업의 경쟁력을 높이게 된다면, 일본은 첨단 산업과 군사 분야에서 뒤처질 수밖에 없다. 특히 일본 정부는 시스템반도체 미세공정 기술력을 내재화하는 일이 필수적이라고 판단하고 정부 차원에서 다양한 방법을 검토하기 시작했다.

미국 정부와 협력해 첨단 반도체를 공동으로 개발하는 것도 그 가운데 하나다. 미국도 자국 기업이 삼성전자와 TSMC에 맞서 우수한 반도체 제조 기술을 확보하기를 원했기 때문에 일본과 이해관계가 맞아떨어졌다. 그 결과, 일본 정부는 첨단 반도체 파운드리 핵심 기술을 보유하고 있는 IBM과 동맹을 구축하는 데 성공했다. 소니와 메모리반도체 기업 키오시아, 통신사인 NTT와 소프트뱅크, 토요타 등은 정부와 공동으로 출자해 2022년 2월, 라피더스 반도체(Rapidus Semiconductor)를 설립한다.

라피더스에는 매우 분명한 중장기 목표가 있다. 2027년까지 2나노 파운드리 기술을 자체적으로 확보하고 반도체 공장 건설도 마무리해 본격적으로 미세공정 시스템반도체 생산을 시작하겠다는 것이다. 2나노 반도체는 인텔이 2024년, 삼성전자와 TSMC가 2025년부터 본격적으로 생산을 계획하고 있는 차세대 공정이다. 라피더스가 목표한 시점은 경쟁사들과 비교해 늦지만, 이는 그만큼 현실을 직시하고 있다는 점에서 오히려 긍정적이라고 볼 수 있다.

현재 일본의 반도체 미세공정 기술 수준은 40나노 안팎에 멈춰 있다. 따라서 라피더스가 경쟁사를 따라잡기까지는 상당한 시간이 필요해 보인다. 그러나 IBM은 이미 2021년부터 2나노 반도체와 관련한 EUV 공정 등 원천기술을 확보하고 있어 일본의 목표 달성에 중요한 역할을 하게 될 것이다. 라피더스가 설립된 이후 2나노 미세공정 반도체의 시범 생산을 시작하는 목표 시기가 2025년까지 앞당겨지는 등 일본 정부의 의지는 어느 때보다 강력하다.

라피더스는 반도체 기술 연구개발에만 2조 엔, 생산투자에는 3조 엔을 투입할 계획이다. 반도체 생산 공장은 홋카이도를 후보지로 결정한 뒤 투자 절차에 속도를 내고 있다. 물론 라피더스가 자체적으로 사업을 통해 수익을 거두지 못하고 있는 상황에서 필요한 자금을 충분히 조달할 수 있을지는 아직 미지수다. 하지만 일본 정부 차원에서 적극적인 지원이 예상된다. 기시다 후미오 일본 총리는 이미 반도체를 비롯한 첨단 산업에 3조 엔의 정부 예산을 투입하겠다고 발표했다. 그리고 이를 통해서 일본의 경제 발전 동력을 확보하겠다는 뜻을 분명히 했다. 일본 경제산업성은 정부 자금으로 라피더스의 홋카이도 공장 투자금 가운데 3,000억 엔을 지원하는 절차도 진행하고 있다.

일본이 반도체 자립을 낙관하는 이유

미세공정 반도체를 수입에 의존하지 않고 자체적으로 생산할 수 있는 체계를 구축하는 일은 선진국들의 중장기 과제로 떠오르고 있다. 유럽연합이 인텔 등 해외 기업의 현지 공장 투자를 유치해 이를 달성하겠다는 방침을 세운 것과 달리 자체적으로 기술을 확보하겠다는 일본 정부의 목표는 상당히 공격적이다.

일본이 이처럼 강력한 자신감을 바탕으로 2나노 반도체 자체 개발을 추진해나가는 배경은 무엇일까? 바로 미국과 반도체 산업에서 장기간 협력 관계를 유지해나갈 수 있을 것이라는 전망과 오랜 기간에 걸쳐 키워온 반도체 장비 및 소재 산업의 경쟁력이 그것이다. 2나노 반도체를 생산하기 위해서는 ASML의 EUV 장비를 반드시 활용해야 하는데, 도쿄일렉트론(Tokyo Electron)과 레이저텍(Lasertec) 등 업체는 EUV 공정에 필요한 여러 반도체 장비 라인업을 보유하고 있다. 한마디로 미세공정 기술 분야에서의 경쟁력을 갖추고 있다.

일본 정부가 이처럼 주도적으로 첨단 반도체 산업을 육성하는 정책을 앞세운 것은 결국 삼성전자와 TSMC를 겨냥한 움직임이다. 중국을 대상으로 한 미국 정부의 반도체 규제가 일본의 반도체 자급 체제 구축을 유도하면서 삼성전자에 새로운 경쟁자를 탄생시키는 결과로 이어진 것이다. 특히 일본은 수출 규제 사태에서 볼 수 있는 것처럼 우리나라 반도체 산업을 압박하겠다는 의지를 뚜렷하게 드러내고 있다.

삼성전자는 향후 파운드리 사업에서 대만과 미국, 중국은 물론 일본 기업과도 경쟁해야 할 것이다. 이러한 시장 변화는 중국 정부의 공격적 반도체 산업 육성 정책이 불러온 '나비효과'다.

지금까지 살펴본 것처럼 글로벌 반도체 시장 상황은 기업들 간의 경쟁을 넘어 국가 간 대결로 치닫고 있다. 삼성전자가 독자적으로 대응책을 마련하기에는 한계가 분명하다.

우리나라 정부가 반도체 강국의 지위를 유지하려면 산업 정책이나 외교적 측면에서 꾸준한 지원 방안을 찾아내고 이를 적극적으로 실행해야 한다. 미국과 중국, 대만과 일본 정부가 모두 자국 기업을 밀어주기 위한 정책에 힘을 실어주고 있는 만큼, 우리나라 정부와 국회의 역할이 중요하다고 할 것이다.

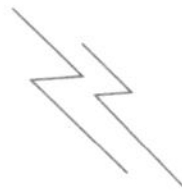

중국 스마트폰 시장 점유율 0%

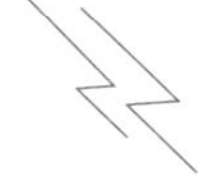

"삼성전자의 중국 스마트폰 시장 전략은 고객이 진정으로 원하는 제품을 제공하는 것이다. 중국에서 어려움을 겪고 있다는 점을 잘 알고 있지만, 프리미엄 스마트폰에 집중해 단계적으로 턴어라운드를 위한 기반을 마련하겠다."

삼성전자 모바일 사업을 총괄하는 노태문 MX사업부 사장은 2023년 2월 갤럭시S23의 정식 발표를 앞두고 열린 기자회견에서 중국 스마트폰 사업과 관련해 여전히 자신감을 보였다. 삼성전자의 중국 내 시장 점유율이 2022년 4분기 기준 1% 미만으로 떨어졌지만, 미래 성장성을 낙관한다고 강조했다.

시장조사기관 〈IDC〉의 집계 기준으로 삼성전자는 2013년까지 중국 스마트폰 시장에서 20%에 가까운 점유율로 1위를 차지했다. 그러나 이듬해부터 빠른 속도로 판매량을 늘린 샤오미(Xiaomi)에 1위 자리를 내주었다. 이어 화웨이와 오포, 비보 등 중국 업체가 치고 올라오면서 존재감이 더욱 약해졌다. 애플이 중국 프리미엄 시장에서 굳건한 지위를 지켜낸 반면, 삼성전자는 안드로이드 운영체제를 사용하는 다른 중국 업체들과 경쟁에서 차별점을 확보하지 못했다. 결국 이제는 중국에서 삼성전자의 모바일 제품을 찾아보기 어려운 상황까지 왔다.

중국 스마트폰 시장에 삼성은 없다

중국 스마트폰 업체들의 초창기 전략은 '아이폰과 갤럭시 따라하기'였다. 이들은 두 회사 제품의 디자인과 성능을 따라 한 제품들을 앞세워 시장을 잠식해나갔다. 대표적으로 샤오미가 삼성전자 갤럭시 노트 시리즈의 큰 화면과 대용량 배터리 등을 차용해 선보인 홍미 노트 시리즈와 아이폰X와 비슷한 외관을 갖춘 블랙뷰X가 있다.

중국 업체를 두고 카피캣(copycat)이라는 비판이 쏟아졌지만 이 제품들은 결국 소비자 선택을 받는 데 성공했다. 중국 소비자 입장에서는 비슷한 디자인의 제품이 훨씬 저렴한 가격으로 자국 기업에서 출시된다면 이를 마다할 리가 없다. 스마트폰 시장이 점차 성숙기에 접어들면서 구동 성능과 디스플레이 사양 등이 상향평준화된 만큼 삼성전자 제품이 중국 제품과 확연하게 다른 기술력을 보이기도 어려워졌다.

자체 운영체제와 앱스토어 등 소프트웨어 플랫폼으로 경쟁사에 비해 확실한 우위를 갖고 있던 애플과 달리 삼성은 갤럭시 스마트폰의 수요 감소를 방어할 뚜렷한 묘책이 없었다. 한때는 중국 업체들과 가격 경쟁을 벌이며 라인업을 확대하는 전략을 시도했지만 이는 수익성 측면에서 지속가능한 방법이 아니었다.

2019년 미국 상무부는 화웨이를 상대로 구글 안드로이드 운영체제와 앱스토어를 스마트폰에 사용할 수 없도록 하는 강력한 제재를 가했다. 당시 화웨이는 시장조사기관 〈카날리스(Canalys)〉의 집계 기준으로 중국 스마트폰 시장에서 40% 가까운 출하량을 점유하고 있었다. 세계 시장에서도 애플을 꺾고 삼성전자에 이어 2위에 오르는 등 최전성기였다. 이 때문에 삼성전자가 반사이익을 얻을 것이라는 전망이 나오기도 했다.

하지만 화웨이의 빈자리는 샤오미와 오포(OPPO), 비보(Vivo) 등 중국 스마트폰 업체들이 차지했다. 이미 중국 소비자들에게 삼성전자 갤럭시 브랜드는 관심을 끌지 못하고 있었다. 이유가 있다.

2016년 발생한 갤럭시노트7 리콜 사태는 중국에서 삼성전자의 이미지를 크게 악화시켰다. 2016년 당시 중국 관영방송국 CCTV는 삼성전자가 갤럭시노트7의 배터리 결함으로 리콜을 실시하면서 중국 시장에 "매우 거만하고 이중적 태도를 보였다"는 논평을 냈다. 리콜 대상에서 중국에서 판매된 제품을 제외했다가 여러 건의 발화 사고가 발생하고 나서야 제품을 회수하기 시작했다는 점을 이유로 들었다. 이 사건을 계기로 삼성전자에 대한 중국 소비자들의 신뢰는 크게 실추됐다. 화웨이의 추락에도 불구하고 실추된 브랜드 이미지와 중국 업체들의 약진으로 삼성은 기회를 살리지 못했다.

약발이 먹히지 않는 폴더블폰

삼성전자는 폴더블 스마트폰 출시를 계기로 중국에서 다시금 기회를 노리고 있다. 중국 경쟁사들이 당분간 따라잡기 어려운 새로운 형태의 하드웨어 제품으로 프리미엄 시장에서 입지 회복을 노린 것이다.

이를 위해 현지화 전략도 충실히 준비했다. 2019년 갤럭시 폴드 시리즈를 출시하면서 중국 현지 소비자의 수요를 고려한 전용 모델을 출시한 것이다. '심계천하 W20'이라는 이름이 붙은 이 폴더

삼성전자 중국 스마트폰 시장 점유율(출하량 기준)

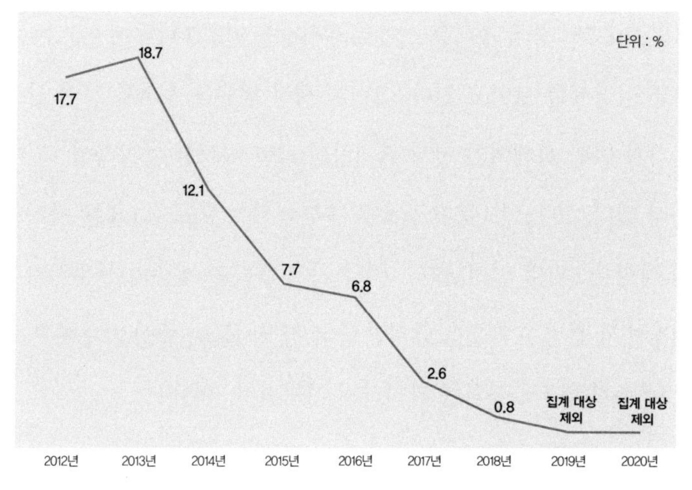

출처 : 스트래티지애널리틱스, IDC, 카운터포인트리서치

블 스마트폰은 갤럭시 폴드와 유사하지만 구동 성능이 더 좋았다. 출고가격이 우리 돈으로 300만 원이 넘는, 초고가 시장을 겨냥한 모델이었다. 이후 심계천하 폴더블폰 시리즈는 4년 연속으로 출시되며 성능 이외에 색상 등 디자인도 중국 이외 국가에 판매되는 제품과 다르게 구성했다.

그러나 이러한 노력은 오히려 중국 경쟁사들의 폴더블 스마트폰 출시 확대를 자극했다. 화웨이를 비롯한 기업들이 저마다 갤럭시 폴드와 비슷한 신제품을 개발했고, 수년 만에 유의미한 성과를 거두고 있다.

「신화통신」이 조사기관 〈시노리서치〉를 인용해 보도한 내용에 따르면, 2022년 중국 폴더블 스마트폰 시장은 연간 144%에 이르는 가파른 성장세를 보이고 있다. 그런데 시장 점유율 순위를 보면 삼성전자가 아닌 화웨이가 전체 판매량의 절반 이상을 차지하며 1위에 올라 있다. 2023년 1분기 점유율 순위에서는 오포가 1위를 차지하며 삼성은 3위로 밀려났다. 삼성전자가 폴더블 제품의 선두주자로 시장에서 선점 효과를 노렸지만 중국 경쟁사들이 예상보다 빠른 속도로 추격하면서 성과를 확신하기 어려워진 것이다.

재주는 삼성이 넘고 과실은 왕서방이 따고

2023년 스페인 바르셀로나에서 열린 모바일월드콩그레스(Mobile World Congress, MWC)는 이러한 시장 흐름을 결정적으로 보여주는 행사였다. 매년 개최되는 MWC는 전 세계 모바일 관련 업체가 모여 최신 기술력과 신제품을 선보이며 스마트폰 제조사의 기술 발전 현황을 비교하고 평가할 수 있는 중요한 자리다. 2023년 MWC에서 가장 뚜렷하게 나타난 트렌드는 단연 폴더블 스마트폰이었다. 특히 다수의 중국 스마트폰 업체가 신형 폴더블 제품을 전면에 앞세우면서 시장 공략에 강한 의지를 보였다. 일부 제품은 주요 외신에서 하드웨어 디자인과 기능, 성능 등이 삼성전자보다 뛰어나다는 평가를 받기도 했다.

「CNBC」는 화웨이 자회사인 아너(Honor)가 MWC에서 삼성전자 전시장 바로 옆에 대형 부스를 마련해 프리미엄 폴더블폰을 전면에 내세웠다는 점에 주목했다. 아너는 2022년 기준 중국 스마트폰 시장에서 20% 가까운 점유율을 차지하고 있는데, 폴더블폰을 내세워 프리미엄 수요 공략에 나선 것이다. 영국과 독일, 남미 등 글로벌 시장에 출시를 확대한다는 포부도 제시했다.

오포와 모토로라 역시 삼성전자에 만만치 않은 경쟁사로 떠올랐다. 중국에서 스마트폰 점유율 1~2위를 차지하고 있는 오포는 폴더블폰 N2 시리즈로 글로벌 시장 진출을 선언했다. N2 시리즈는 2023년부터 3년간 유럽 축구 UEFA 챔피언스리그 공식 스마트폰으로 지정되는 등 공격적인 마케팅을 펼치고 있다. 중국의 레노버가 인수한 모토로라 스마트폰 사업부는 과거의 영광을 재현하겠다는 듯 레이저 브랜드를 폴더블 제품에 적용했다.

MWC 2023은 삼성전자 갤럭시Z폴드4와 사양은 비슷하지만 가격은 약 40% 저렴한 제품을 출시하기도 했다. 중국 내수 시장에서도 인지도가 그리 높지 않은 제조사 테크노모바일(Techno Mobile)은 갤럭시Z폴드와 비슷한 성능을 갖춘 팬텀V폴드를 1,099달러에 판매하겠다고 발표하며 눈길을 끌었다. 다수의 중국 업체가 적정한 기술 수준에 경쟁력 있는 가격을 무기로 폴더블 스마트폰을 본격적으로 출시하면서 삼성전자가 갤럭시 폴드 및 플립 시리즈로 시장에서 차별화 요소를 앞세울 수 있는 시간은 얼마 남지 않아 보인다.

물론 삼성전자의 기술력을 중국 경쟁사가 완전히 따라잡았다고 볼 수는 없다. 하지만 중국 스마트폰 시장에서 삼성전자가 점유율을 사실상 모두 잃은 데 이어 빠르게 기술 추격을 받고 있다는 점은 모바일 사업의 현주소를 보여준다.

삼성전자가 중국 스마트폰 시장에서 입지를 지켜내지 못하는 사이 중국 업체들의 해외 프리미엄 시장 진출은 속도를 내고 있다. 만약 폴더블 스마트폰 출시마저 이러한 흐름을 이어간다면, 삼성전자는 경쟁사가 따라잡기 더 어려운 하드웨어 측면의 차별화 요소를 마련하거나 애플과 같이 소프트웨어 및 플랫폼 등에서 차별화를 마련하지 못하는 한 경쟁력을 잃게 될 것이다. 안타깝게도 그 미래가 밝아 보이지는 않는다.

디스플레이도 위험하다

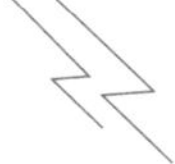

"MWC 2023에서 중국 테크 기업들의 전시장은 관람객들의 큰 주목을 받았다. 폴더블과 롤러블 등 혁신적 디스플레이 기술이 중국의 가장 앞선 성과를 보여주며 '강력한 귀환'을 증명했다."

「신화통신」은 MWC 2023에서 오포와 아너, ZTE 등 자국 기업이 전시한 여러 모바일 기술을 소개하며 특히 디스플레이 분야의 발전을 강조했다. 전 세계 주요 모바일 업체들이 참가해 최신 기술을 두고 경쟁하는 행사에서 중국이 관람객들의 눈길을 사로잡는 신제품으로 잠재력을 증명했다고 자평한 것이다.

중국 스마트폰 업체의 폴더블 제품 출시가 삼성전자에 더욱 위협적인 이유는 핵심 기술인 폴더블 디스플레이 대부분을 중국 업체의 기술로 생산했기 때문이다. 반도체 업계에서 YMTC와 SMIC가 중국 정부 지원을 받아 성장한 챔피언이라면 디스플레이 분야에서는 BOE가 비슷한 방식으로 독보적 입지를 차지하고 있다. 중소형 올레드 디스플레이와 같은 모바일 패널 분야에서 BOE는 이미 상당한 기술력을 인정받고 있다. 아이폰에 쓰이는 패널까지 납품할 정도다. 품질과 가격 측면에서도 경쟁력이 있다.

삼성전자와 LG디스플레이가 모바일용 올레드 패널에 집중하기 시작한 것은 LCD 시장에서 중국이 빠르게 지배력을 잠식하면서부터였다. TV와 스마트폰 등 모바일 기기에 폭넓게 쓰이던 LCD 패널은 그 개발의 역사가 오래되어 기술보다는 가격 경쟁력이 중요한 시장이 됐다. 이는 중국 기업들처럼 가격 경쟁력이 뛰어난 업체의 추격을 막기 어려워졌다는 의미다.

BOE와 CSOT, 티앤마(Tianma) 등 중국 업체들은 정부 지원을 받아 생산 투자를 확대하면서 LCD 시장을 급속도로 잠식했다. 장기간 수익성 부진에 이어 적자마저 감수하던 삼성과 LG는 결국 LCD 사업을 포기하고 올레드 디스플레이에 집중했다. 올레드 패널은 새로운 기술 분야에 해당하는 만큼 중국 업체들이 단기간에 기술을 따라잡아 물량 공세 전략을 펼치기는 어려울 것이라고 판단한 것이다.

중국의 디스플레이 대약진

그러나 중국 정부의 강력한 디스플레이 산업 육성 정책은 이런 기대를 무너뜨렸다. 이는 스마트폰 시장에서 중국 기업들이 내수 시장을 장악하기 시작한 것과 연관이 있다. 치열한 가격 싸움을 이어가던 현지 스마트폰 제조사들이 삼성과 LG의 중소형 올레드 패널을 비싼 가격에 사들이기는 쉽지 않았다. 그렇다고 저가의 LCD 패널을 사용하면 화질과 전력 효율 측면에서 단점을 감수할 수밖에 없었다. 이에 다수의 중국 디스플레이 업체가 자국의 수요를 충족하기 위해 자체적으로 중소형 올레드 기술 개발에 뛰어들었고, BOE가 가장 주목할 만한 성과를 내놓았다.

이에 질세라 삼성전자도 스마트폰에 적용하는 LCD 패널을 평면 올레드로, 이후 엣지(Edge) 디스플레이에 쓰이는 곡면 올레드와 폴더블 올레드로 꾸준히 발전시켰다. 하지만 중국의 거센 추격은 멈추지 않았다. 삼성디스플레이가 10년 넘게 상용화에 매진해온 폴더블 디스플레이마저 BOE의 공세를 막기 어려워지고 있다.

MWC 2023에서 공개된 아너의 폴더블 스마트폰은 BOE의 디스플레이를 탑재했다. 뿐만 아니라 BOE는 노트북 화면 크기의 중형 폴더블 디스플레이, 화면을 종이처럼 말았다가 펼 수 있는 롤러블 스크린도 선보였다. 삼성전자가 아직 제품으로 출시하지 않은 디스플레이 기술을 전시장 전면에 내세우면서 앞으로 차세대 디스플레이 기술 경쟁은 중국이 앞서갈 것이라고 경고장을 보낸 것이다.

디스플레이 기술은 전자 업계에서 반도체 못지않게 중요한 기술이다. 반도체는 눈으로 보이지 않는 내부 성능을 결정하지만, 디스플레이는 스마트폰과 태블릿, 노트북 등의 제품에서 소비자의 눈에 가장 먼저 들어오는 부품이다. 폴더블 스마트폰처럼 제품의 형태를 완전히 바꿀 수 있는 기술이기도 하다.

삼성전자가 폴더블 스마트폰을 출시할 수 있었던 것은 자체적으로 폴더블 디스플레이 기술을 확보했기 때문인데, 중국도 이런 역량을 갖춘 것이다. 앞으로 출시될 롤러블 스마트폰이나 폴더블 노트북과 같이 기존 제품의 외형에 큰 변화를 불러올 수 있는 제품은 잠재 수요를 자극해 침체되고 있는 스마트폰 시장에 반전의 계기를 만들 수 있다. 그러나 이런 변화를 주도하는 기업이 자칫하면 삼성이 아닌 중국 경쟁사가 될 수도 있는 상황이다.

TV 시장도 위험하다

삼성전자는 처음에는 중국 제조사의 폴더블 스마트폰 출시가 모바일 사업은 물론 자회사인 삼성디스플레이에도 큰 기회를 열어줄 것으로 기대했다. 프리미엄 스마트폰 최대 경쟁사인 애플의 폴더블 제품 출시 가능성마저 적극적으로 반길 정도였다. 최원준 삼성전자 MX 개발실장은 MWC 2023 기자 간담회에서 "애플이나 중국 업체의 폴더블 제품 출시는 시장에 긍정적 효과를 일으킬 것으로 기대한다. 시장이 커지면 더 많은 소비자가 폴더블 제품을 살 수 있게 돼 좋은 현상"이라고 말하기도 했다. 삼성전자가 폴더블 스마트폰 시장에 가장 크게 기여할 수 있는 핵심 플레이어로 선도적 지위를 유지할 것이라는 자신감을 보인 셈이다.

그러나 지금과 같은 흐름이 이어진다면 폴더블 디스플레이의 최대 수혜 기업은 BOE를 비롯한 중국 업체가 될 것이다. 차세대 제품 출시에도 중국 경쟁사가 삼성전자를 앞서나갈 가능성이 있다. 실제로 LG전자가 스마트폰 사업을 중단하기 직전 출시를 검토했던 롤러블 스마트폰은 BOE의 올레드 패널 탑재가 유력했다. 대만 에이수스(ASUS)에서 선보인 17인치 화면 크기의 폴더블 노트북도 BOE의 패널을 독점적으로 활용하고 있다. 레노버가 MWC 2023을 통해 전시한 롤러블 스마트폰 및 노트북 시제품도 상용화되면 BOE의 디스플레이 기술을 적용하게 된다. 결국 삼성전자는 폴더블 스마트폰으로 업계에 신선한 충격을 안겼던 성과를 중국 경쟁사에 빼앗기게 될 수도 있는 것이다.

디스플레이 기술이 핵심인 대표적 제품군인 TV도 전망이 밝지 않다. 삼성전자는 2022년까지 17년 연속으로 전 세계 TV 출하량 1위를 유지하고 있지만 기술적 우위나 수익성 측면에서는 다소 고민을 안고 있다.

삼성전자는 모바일 분야에서 중소형 올레드 패널에 집중적으로 투자해온 반면, TV 시장에서는 대형 올레드 디스플레이의 사업화를 다소 소극적으로 추진해왔다. 대형 올레드 디스플레이가 생산 비용이나 판매가격 대비 소비자에 제공할 수 있는 장점이 크지 않다고 판단해 시장 진출을 꺼려온 것이다. 자연히 중국을 비롯한 글로벌 경쟁사가 대형 LCD TV를 낮은 가격에 출시하며 가격 경쟁을 주도할 때 삼성전자가 대응할 수 있는 방법에는 한계가 있었고, 일찌감치 대형 올레드 TV를 차세대 기술로 앞세우던 LG전자에 기회가 찾아왔다.

삼성은 현재 퀀텀닷 기술과 올레드 기술의 장점을 갖춘 QD-OLED TV를 통해 더 앞선 대형 올레드 기술에 미래를 걸었다. 하지만 선두주자인 LG가 확실한 지배력을 구축하고 있는 데다 중국 업체들도 이미 올레드 TV에 역량을 집중하고 있어 삼성전자의 승부수가 통할지는 아직 미지수다.

중국 디스플레이 산업이 성장한 방식은 삼성이 과거 일본 업체들을 제치고 LCD 분야에서 상위 기업으로 도약했던 역사와 비슷하다. 일본은 샤프와 소니, 파나소닉 등 대형 전자 업체의 기술력에 힘입어 장기간 디스플레이 강국의 지위를 지켜왔다. 그러나 2010년 전후로 한국 경쟁사들이 기술 및 생산 능력을 따라잡고 가격 경쟁마저 주도하면서 일본 업체들은 경쟁에서 밀려났다. 삼성전자가 메모리반도체 시장의 성공 신화를 디스플레이 사업에서 재현한 셈이다. 일본 업체들은 디스플레이 사업을 대폭 축소하거나 매각하는 수순을 밟게 됐고, 글로벌 시장에서 우리나라의 강세는 장기간 이어졌다.

그러나 이제는 중국이 이와 비슷한 방식으로 LCD 시장에서 삼성을 밀어내고 있다. 시장조사기관 〈옴디아〉의 글로벌 LCD 출하량 조사에 따르면, 2016년에 한국은 약 37%의 점유율로 1위를 차지했고 대만과 중국, 일본이 뒤를 이었다. 그러나 2021년 조사에서 중국은 약 51%의 압도적 점유율로 선두에 올랐고, 대만이 31.6%로 2위, 한국 점유율은 14.6%로 3위에 그쳤다. 일본은 4위로 2.6%에 불과했는데, 이는 디스플레이 시장 흐름의 변화를 단적으로 보여준다.

차세대 성장동력을 찾아라

삼성의 디스플레이 핵심 실적 기반인 중소형 올레드는 애플과 같은 일부 고객사 수요에 크게 의존하고 있다. 그런데 애플은 삼성과 LG가 주축인 디스플레이 공급망에 중국 업체를 끌어들여 가격 경쟁을 유도하는 방안을 꾸준히 노리고 있다.

삼성전자 또한 스마트폰 사업의 수직계열화를 통해 모바일 디스플레이의 수요를 직접 창출해왔다. 하지만 원가 절감이 다급한 상황에 놓이면서 자사의 스마트폰에 중국산 디스플레이를 사용하는 사례가 늘고 있다. 모바일 사업의 수익성을 확보하기 위한 고육책이다. 삼성전자의 폴더블 스마트폰에 중국 BOE의 폴더블 올레드가 탑재될 수 있다는 전망까지 나오고 있다.

롤러블과 퀀텀닷 등 차세대 기술의 등장은 디스플레이 시장에 아직 발전 가능성이 충분히 남아 있다는 것을 보여줬다. 그러나 이들 제품에서도 삼성전자의 우위를 자신하기는 어려운 상황이다. 삼성전자는 반도체에 이어 디스플레이 시장에서도 중국의 공세를 지속적으로 방어해야 하는 과제를 안게 됐다. 하지만 당분간 경제 성장 둔화와 물가 상승으로 글로벌 전자제품 시장 침체기가 이어질 것으로 예상돼 문제 풀이가 쉽지 않아 보인다.

삼성전자가 찾고 있는 디스플레이의 차세대 성장동력은 자동차용 디스플레이와 가상현실 및 증강현실 기기 전용 디스플레이, 상업용 디스플레이 등이다. 이들 분야에 쓰이는 패널은 전력 효율과 화질, 안정성 등 여러 측면에서 훨씬 높은 기준을 충족해야 한다.

그만큼 고도화된 기술력이 필요하고 단가도 비싸 중국의 추격을 뿌리칠 수 있는 시장이 될 것이라는 기대가 있다. 하지만 이러한 제품은 그 특성상 TV, 스마트폰과 비교해 절대적 수요가 많지 않다. 분명한 한계가 있는 것이다. 결국 삼성전자는 차별화된 디스플레이 기술을 활용한 제품 출시를 통해 수직계열화 측면의 장점을 앞세우며 격차를 벌리는 전략을 써야 하는 시점에 직면해 있다. 이는 반도체 사업에서 삼성전자가 추진하는 방식과 크게 다르지 않다.

이재용 회장도 디스플레이 사업을 적극적으로 챙기며 미래 성장에 기대를 나타내고 있다. 회장 취임 뒤 충남 아산의 삼성디스플레이 사업장을 방문한 일이 대표적이다. 이 회장은 방문 당시 QD-OLED 생산라인을 점검하고 차세대 기술 개발 일정과 관련해 실무진과 논의를 진행했다. 또한 IT 제품에 쓰이는 패널과 자동차용 패널 등에 기술력 확보를 당부했다. 이재용 회장은 이날 직원들에게 "끊임없는 혁신과 선제적 투자로 누구도 넘볼 수 없는 실력을 키우자"고 당부했다. 중국 경쟁사들의 기술 추격을 의식해 디스플레이 사업에도 반도체와 같은 '초격차' 전략이 필요하다는 점을 강조한 것이다.

제5장

VS. LG, SK 그리고 현대자동차

세대교체의 승자는 누구인가

3세대 리더십 경쟁이 시작됐다

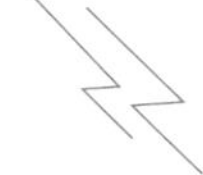

삼성전자는 글로벌 기업이다. 대부분의 실적을 해외에서 거두고 있다. TSMC와 애플, 인텔과 중국 업체가 중요한 라이벌로 꼽히는 이유다. 하지만 삼성전자가 마주한 경쟁은 국내 기업과의 싸움이기도 하다. 삼성전자와 더불어 4대 대기업에 포함되는 SK와 현대자동차, LG그룹 역시 성장동력을 해외에서 찾고 있다.

국내 주요 재벌기업은 그동안 주력 사업 분야가 겹치지 않아 함께 성장할 수 있었다. 그러나 산업 환경이 빠르게 변화하고 업의 경계가 무너지고 있다. 따라서 삼성전자와 다른 대기업 계열사가 특정 사업에서 직접적인 경쟁상대가 되는 사례도 드물지 않다.

이재용 회장이 전면에 등장한 시기 전후로 현대자동차그룹과 LG

그룹에도 오너 3세 경영 체제가 들어섰다. 현대자동차의 정의선 회장은 2021년부터 정식으로 그룹 총수에 지정됐다. 정 회장은 이미 2015년부터 제네시스 브랜드를 이끌며 리더십을 구축해왔다. LG의 구광모 회장은 구본무 선대 회장이 별세한 2018년에 경영권을 이어받아 그룹 계열 분리를 이끌며 조직을 안정화하는 작업을 주도하고 있다. SK그룹의 최태원 회장은 큰아버지와 아버지에 이어 SK그룹의 세 번째 총수에 오른 '2.5세대' 경영자로 분류된다.

4대 그룹을 이끌고 있는 총수들은 선대 회장들과 비교해 여러 측면에서 뚜렷한 차이를 보이고 있다. 활발한 현장 경영과 수평적 조직 문화를 도입해 임직원과 소통을 강조한다는 점, 해외 출장과 같은 대외 활동에 적극적으로 나서며 외부 협력을 강화하고 있다는 점이 그렇다. 우수한 외부 인재를 영입하고 수시채용을 늘리는 등 인사 체계에 변화를 시도하고 있다는 점도 비슷하다. 무엇보다 이들은 그룹 차원의 성장축을 미래 신사업 분야에서 찾으며 지속 성장 전략을 주도하고 있다.

삼성전자와 LG, SK와 현대자동차의 1세대 오너들의 경영은 사업 기반을 닦고 영역을 점차 확장해나가던 태동기로 정의할 수 있다. 이건희, 정몽구 회장을 비롯한 2대 오너가 그룹을 이끌던 시기는 우리나라 경제의 급격한 성장에 맞춰 주력 사업을 중심으로 기업의 외형을 본격적으로 키워온 성장기에 해당한다. 그리고 지금

4대 대기업 집단 재무현황

(단위 : 십억 원)

순위	기업집단명	전체회사		
		자산총액	자본총액	부채총액
1	삼성	893,840	373,120	520,720
2	SK	327,254	175,784	151,470
3	현대자동차	342,738	168,092	174,646
4	LG	171,244	88,287	82,957

출처: 공정거래위원회, 2023년 5월 1일 기준

은 4차 산업혁명 시대에 맞춰 새로운 사업 영역에 도전하고 다양한 글로벌 경쟁사에 맞서는 일이 도전 과제로 주어졌다. 복잡해진 사업 구조 안에서 효과적으로 그룹의 성장을 이끌 수 있는 중장기 전략도 그만큼 중요해졌다. 글로벌 시장의 지정학적 환경과 국가별 산업 정책, 시대 흐름에 따른 변수를 고려해 가장 적합한 대응 방법을 찾고 성과를 내는 일이 한국 주요 대기업의 핵심과제로 떠오르게 된 것이다. 이러한 노력이 가져올 결과물은 4대 그룹의 새 오너들의 역량을 판단하는 척도가 될 것이다.

이번 장에서는 4대 그룹 오너의 리더십이 각 대기업에 어떻게 반영되고 있는지 살펴볼 것이다. 또한 SK와 현대차, LG그룹이 각각 삼성전자와 경쟁하고 있는 분야에서의 접점을 알아보고, 이들의 대결이 흘러가는 추세를 파악해보자.

SK, 사회적 가치에서 미래를 찾다

SK는 2022년부터 공정거래위원회의 대기업집단 자산총액 집계 기준으로 삼성에 버금가는 국내 재계 2위 그룹으로 성장했다. 반도체와 배터리, 에너지 등 계열사의 주요 사업 분야에서 전 세계 진출을 확대하며 글로벌 기업으로 거듭나는 데 속도를 내고 있다.

SK그룹은 삼성전자, LG, 현대차 등 다른 재벌기업과 비교해 최태원 회장이 이끄는 3대 오너 경영 체제를 훨씬 일찍 시작했다. 최태원 회장은 창업주이자 큰아버지인 최종건 초대 회장과 아버지인 최종현 선대 회장에 이어 1998년 그룹 총수 자리에 올랐다. 총수에 오른 직후부터 그는 SK그룹의 체질 개선 작업을 선제적으로 이끌었다. 현대전자의 반도체 사업부였던 하이닉스를 인수해 SK하이닉스로 명명하고 반도체를 그룹의 주요 먹거리로 육성했고, 신재생에너지 사업에 그룹 차원의 협업 체계를 구축한 것이 대표적이다. 석유화학 중심이던 SK그룹의 주력 사업 분야를 과감한 사업 추진력과 미래에 대한 비전을 바탕으로 바꿔낸 것이다.

다른 재벌기업보다 앞서 사업 재편에 속도를 낸 결과, SK는 재계 2위로 도약했다. 공격적인 투자로 미래 사업에 그룹 차원의 역량을 집중하면서 다수의 계열사가 새로운 영역에서 성장동력을 확보할 수 있었고, 세계적 경쟁력을 갖추게 됐다. 특히 화학 계열사들은 반도체와 배터리 소재 분야로 보폭을 확대하고 에너지 계열사들은 수소에너지, 통신 계열사들은 인공지능과 같은 차세대 IT 산업에 진출하는 등 지속적인 성장을 위한 기반을 탄탄하게 구축했다.

우리는 숫자로 사회적 가치를 평가한다

최태원 회장은 그룹 차원의 성장 방향성이 어느 정도 뚜렷해지자 외형 성장과 수익 개선을 넘어 새로운 경영 목표를 제시하며 다시금 변화를 주도하고 있다. 사회적 가치 창출을 중요한 기업 철학으로 내세우고 기존의 성장 전략과 차별화되는 방식을 찾아내야 한다는 화두를 던진 것이다.

사회적 가치는 기업 경영활동이 다양한 사회 문제 해결에 기여한 성과의 총합을 의미한다. 최태원 회장은 특정 사회에 소속된 구성원들이 외부 환경 등 영향에 따라 구조적으로 고통을 겪을 수밖에 없도록 하는 여러 가지 문제점을 해결하는 데 기업이 적극적으로 나서야 한다고 말한 바 있다. SK그룹 계열사들이 환경오염에 따른 피해나 빈부격차, 차별 등으로 발생하는 사회적 비용을 만회할 수 있는 가치를 만들어내는 데 집중해야 한다는 의미다.

물론 다른 기업들도 사회공헌을 중요한 목표로 강조하면서 기부 활동과 같은 방식을 도입하고 있다. 그러나 최태원 회장은 이러한 활동이 실제 수치로 측정되고 평가될 수 있어야만 실질적 변화를 이끌어낼 수 있다고 말한다. 명분을 쌓는 데 그치지 않겠다는 것이다. 2018년 SK그룹 계열사 경영진이 대거 참석한 CEO 세미나에서 최태원 회장은 이러한 사회적 가치 중심의 경영 전략을 발표한 뒤 구체적인 방향성을 제시했다. 또 모든 경영자가 사회적 가치 창출을 위한 변화에 동참해야 한다고 주문했다. 이러한 활동이 사회와 고객의 진정한 신뢰를 얻을 수 있는 길로 이어질 수 있는 만큼 모든 사업 모델을 사회적 가치 기반으로 재편하고 혁신을 이끌어가는 데 속도를 내야 한다는 것이다.

그런데 이러한 과제를 각 계열사별로 추진하기에는 방식에 차이가 있고 성과도 다를 수밖에 없다. 따라서 총수인 최태원 회장이 직접 나서서 주요 경영진에 사회적 가치의 중요성을 설명함으로써 변화에 속도를 앞당기고 그룹 차원의 공감대를 형성해 실질적인 효과를 앞당기겠다는 의지를 보인 것이다.

SK그룹은 사회적 가치가 실질적으로 시민사회에 기여하는 중장기 경영 전략으로 거듭나려면 이를 수치화해 비교하고 평가할 수 있도록 해야 한다는 점에 주목했다. 사회 기여도를 실적이나 재무구조, 주가와 같이 숫자로 확인하게 된다면 이를 경영 평가와 예산 책정 등에 반영하기도 훨씬 쉬워진다.

SK는 '측정할 수 없으면 관리할 수도 없다'는 신념하에 수년에 걸쳐 학계 전문가와 사회적 기업, 정책기관 등과 협업해 기업이 창출하는 사회적 가치의 측정 방식을 개발해 활용하고 있다. 각 계열사도 외부 전문가들과 연구 및 협의를 통해 방법을 찾아왔다. 이러한 사회적 가치 측정 결과는 2019년부터 매년 홈페이지 등에 게시, 공개되고 있다. 따라서 SK 관계사들은 사회적 가치 창출에 더욱 신경을 쏟을 수밖에 없고, 이는 그룹 차원의 사회적 기여도가 높아지는 결과로 이어졌다.

2019년 SK그룹 전체에서 창출한 사회적 가치는 금액으로 평가하면 7조 원 안팎이다. 이는 2021년 들어 18조 4,000억 원까지 늘어나면서 빠르게 성장하고 있다. SK하이닉스를 비롯한 각 계열사는 환경과 사회공헌 등 각 부문에서 창출한 사회적 가치 총량과 산정 방식을 공개하며 공신력을 더하고 있다.

환경 성과에는 온실가스 배출 및 에너지 소비량, 폐기물 등을 얼마나 감축했는지가, 사회적 성과에는 직원 채용 및 교육에 들인 비용과 장애인 임직원 고용수 등이 포함된다. SK그룹 주요 계열사가 이런 방식으로 사회적 가치 창출에 힘쓰는 흐름은 갈수록 뚜렷해지고 있으며 발생한 가치를 수치화해 측정하는 방식도 꾸준한 연구를 통해 개선되고 있다.

SK그룹의 변화는 삼성에도 변화를 유도하는 자극제 역할을 하고 있다. 사회적 가치 창출을 비롯한 ESG 경영이 전 세계에 뉴 노멀(New Normal)로 자리잡으면서 글로벌 기업인 삼성전자도 대세를 거스르기 어려워졌다. 특히 미국과 유럽 등 다수의 국가에서 친환경 규제가 강화됨에 따라 환경 분야에는 이전보다 더 많은 신경을 쏟을 수밖에 없다.

애플이 될 때, 삼성은 뒷짐을 지고 있었다

삼성전자는 2022년 9월 '신환경 경영전략'을 선포하고 혁신적 기술을 통해 기후위기 극복에 동참하겠다는 비전을 발표했다. 이는 점진적으로 탄소중립 달성을 추진하겠다는 내용을 골자로 하고 있다. 갈수록 높아지는 국제사회의 요구에 맞춰 탄소 배출량을 넷제로(탄소중립) 수준까지 줄이겠다는 계획을 공식화한 것이다.

구체적 내용을 살펴보면 글로벌 탄소중립 이니셔티브인 RE100에 가입하고 2050년까지 모든 공장과 사업장에서 사용하는 전력을 100% 재생에너지로 전환한다는 계획이다. 해외 사업장에서는 이러한 목표 달성 시점을 2027년까지 앞당기기로 했고, 미국과 유럽 및 중국에서는 이미 전체 전력을 재생에너지로 조달하고 있다는 점을 강조했다.

하지만 TSMC는 물론 SK그룹 핵심 계열사들이 이미 2020년에 RE100 가입을 선언했다는 점에 비춰볼 때 삼성전자의 RE100 가입은 한발 늦었다는 비판을 들을 수밖에 없다. 「로이터」는 삼성전자의 신환경 경영전략 선포를 분석하는 기사에서 '탄소중립 달성 목표가 글로벌 주요 경쟁사와 비교할 때 실망스러운 수준에 그친다'고 지적했다. 애플은 2030년, 소니는 2040년까지 탄소중립을 달성하겠다는 목표를 제시했는데, 이것과 비교해 삼성전자의 발표는 시기나 내용 면에서 부족한 면이 적지 않다. 「로이터」는 삼성전자가 한국 정부의 재생에너지 관련 정책에 의존하는 데 그치지 않고 자체적으로 실현 가능한 방안을 적극적으로 찾아 속도를 내야 할 것이라고 권고하기도 했다.

이에 대해 삼성전자는 기업의 특수성을 살펴달라고 주문한다. 즉 우리나라에 반도체 공장을 비롯한 주요 사업장이 밀집하고 있어 재생에너지 전환을 빠르게 진행하기가 쉽지 않다는 것이다. 신환경경영전략 발표에서 삼성전자는 현재 전 세계 IT 업계에서 가장 많은 전력을 사용하고 있다는 점, 한국의 친환경 에너지 수급 환경이 불리하다는 점을 중요한 이유로 제시했다. 반도체와 스마트폰, TV와 가전을 모두 직접 생산할 뿐만 아니라 반도체 공장을 꾸준히 증설하고 있어 전력 사용량이 늘어날 수밖에 없다는 것이다. 게다가 주요 생산 거점인 우리나라는 재생에너지 비중이 크지 않다. 따라서 탄소중립에 곧바로 기여하는 일은 현실적으로 쉽지 않다는 것이 삼성의 주장이다. 삼성전자는 우리나라의 재생에너지 발전 비중이 높아지고 수급 단가가 낮아질 수 있도록 정부 차원의 정책적 지원 강화와 시민사회의 협조를 주문하고 있다.

이러한 주장은 지리적 특성 등을 고려할 때 태양광을 비롯한 재생에너지로 대량의 전력을 조달하기 쉽지 않은 우리나라에서 충분히 이해할 수 있다. 그러나 삼성전자의 경쟁사인 애플의 사례를 볼 때 외부 환경적 요인에만 의존하는 태도는 문제라는 비판도 있다.

애플은 탄소중립 논의가 전 세계적으로 활발해지기 이전인 2015년부터 재생에너지 활용 목표를 구체화했다. 그 결과 글로벌 주요 국가의 사업장과 판매점, 데이터서버 등을 100% 친환경에너지로 가동하는 성과를 냈다. 이 가운데 약 13%(2022년 기준)는 애플이 직접 투자한 신재생에너지 발전소에서 조달하고 있다. 결국 삼성전자도 신환경 경영전략에 진정성을 보이려면 자체적으로 재생에너지 발전 분야에 투자를 확대해야 한다.

애플은 주요 부품 공급사들도 친환경 목표 달성에 동참하도록 강력하게 요구하고 있다. LG이노텍과 SK하이닉스 등 우리나라 기업도 애플의 탄소중립 달성 프로젝트에 참여하기로 하며 우호적인 협력사 관계를 유지하는 데 힘쓰고 있다. LG이노텍은 사업장에서 태양광 발전을 통해 생산된 재생에너지를 활용하는 방식으로 애플이 제시한 재생에너지 사용량 목표치에 근접하고 있다. SK하이닉스는 이천과 청주 사업장에서 태양광 및 수력발전 등 자가발전 설비를 운영하며 애플 부품 생산에 100% 재생에너지를 사용하고 있다. 앞으로 이러한 추세는 전 세계 제조사와 IT 기업 등으로 확산될 것이고 삼성전자도 반도체를 비롯한 부품 사업에서 환경 기준 때문에 고객사를 놓치는 일을 피하기 위해서라도 탄소중립 목표 달성을 앞당겨야 한다.

SK와 삼성의 경쟁은 친환경 반도체로

SK그룹과 삼성전자가 가장 첨예하게 경쟁하는 사업은 메모리반도체다. SK하이닉스는 D램과 낸드플래시 등 메모리 시장에서 삼성전자에 이은 세계 2위 기업이다. 최태원 회장은 SK하이닉스와 시너지를 낼 수 있는 여러 기업의 인수합병을 주도하며 더욱 힘을 보태고 있다. OCI로부터 사들인 반도체 화학소재 전문 업체인 SK머티리얼즈, LG그룹에서 인수한 반도체 웨이퍼 제조사 SK실트론이 대표적이다.

SK하이닉스는 반도체 호황에 힘입어 외형과 수익성을 모두 키우고 D램에 편중되어 있던 사업 구조도 SSD와 같은 낸드플래시 기반 제품으로 다각화하면서 안정적인 성장 궤도에 올랐다. 그리고 다년간 이어진 꾸준한 연구개발에 힘입어 기술력에서 삼성전자를 위협할 정도로 성장했다. EUV 공정을 활용하는 미세공정 D램, 3D낸드 적층기술 등 분야에서 삼성전자와 거의 격차를 보이지 않을 만큼 발전을 이뤄낸 것이다. 물론 생산 능력 측면에서 아직 격차가 크지만, 삼성전자가 촉각을 기울여야 하는 경쟁사로 잠재력을 키워가고 있다는 점은 분명하다.

반도체 시장에서 주목할 만한 미래 발전 방향은 '친환경 반도체'다. 친환경 반도체는 기존에 생산되던 반도체와 비교해 적은 전력을 활용하는 만큼 에너지 소모를 줄여 궁극적으로 탄소 감축에 기여할 수 있다. 앞으로 반도체가 더욱 폭넓게 쓰일 것이라는 점을 고려한다면 반도체의 전력 소모를 줄이는 기술의 확보는 큰 결실로 이어질 수 있다.

SK하이닉스는 그룹 차원의 사회공헌 목표에 맞춰 저전력 반도체 출시 확대를 통한 사회적 가치 창출에 주력하고 있다. 2023년 초 CES에서 SK하이닉스가 전면에 내세운 제품도 eSSD와 HBM3 등의 친환경 반도체다. 박정호 SK하이닉스 부회장은 D램과 같은 반도체의 규격을 저전력으로 바꾸기만 해도 탄소 배출량을 상당량 감축하는 효과가 있다고 강조했다.

삼성전자도 SK하이닉스를 뒤따라 저전력 반도체에 역량을 집결하고 있다. 신환경경영전략에도 이와 관련한 목표를 담았다. 친환경 혁신 기술을 적용한 D램과 SSD 기술로 첨단 산업의 전력 절감에 기여하고 이러한 반도체의 적용 분야를 소비자용 제품과 서버 등으로 확대한다는 내용이다. 삼성전자의 친환경 D램은 필요할 때만 전력을 더 끌어 쓰는 새로운 기술을 적용해 더 효율적으로 에너지 소모량을 조절하는 특징이 있다.

저전력 반도체는 친환경 기여도를 높일 뿐 아니라 고객사 주문 확보에도 큰 효과를 낼 것으로 전망된다. 인공지능 데이터서버, 슈퍼컴퓨터는 상당한 양의 전력을 활용하는데, 이 가운데 대부분이 반도체를 구동하는 데 들어간다. 전력 소모량이 줄어들면 자연히 발열량도 줄기 때문에 데이터센터 냉각을 위해 쓰이는 에너지도 감소한다. 대량의 서버를 운영하는 IT 기업 등에서는 에너지 비용 측면을 고려해 저전력 반도체를 사용해야 할 동기가 충분하다.

애플의 사례에서 볼 수 있듯 반도체의 핵심 고객사인 글로벌 제조사와 빅테크 업체도 탄소중립을 중장기 목표로 제시한 만큼 삼성전자와 SK하이닉스는 에너지 사용 절감에 집중해야 한다. 인공지능 등 기술 발전으로 필요한 서버 규모는 앞으로 늘어날 수밖에 없다. 따라서 저전력 반도체 사용은 필수 조건이 될 것이다. 이러한 수요에 맞춰 더 우수한 전력 효율과 성능을 갖춘 반도체가 시장의 중심으로 떠오를 것이고, 삼성전자와 SK하이닉스는 이를 통해 반도체 사업의 지속성장 기반 확보와 친환경 목표 달성을 동시에 추진할 수 있다. 앞으로 삼성전자와 SK하이닉스가 친환경, 저전력 반도체 생산을 두고 벌일 경쟁은 더욱 치열할 것이다.

현대자동차,
모빌리티로 한판 붙다

"삼성전자는 이제 반도체와 스마트폰 등 전자제품 제조사가 아니다."

만약 이재용 회장이 어느 날 이런 선언을 내놓는다면 전 세계 반도체 및 IT 업계와 경제 전반에 상당한 파장을 불러일으킬 것이다. 이는 지난 수십 년 동안 주력으로 하던 사업 영역을 벗어나 완전히 새로운 분야에서 성장 기회를 찾는다는 의미이자 극단적 기업 재편을 시도하겠다는, 파격에 파격을 더한 선언이기 때문이다.

그런데 이런 선언을 현대자동차가 했다. 2019년 경기 화성시 남양연구소에서 개최한 '미래차 국가비전 선포식'에서 정의선 현대자동차그룹 회장(당시 수석부회장)은 현대차의 새 정체성을 스마트 모빌리티(mobility, 이동수단) 솔루션 기업으로 정의했다. 완성차 기업을 넘어 현대차그룹이 전 세계 고객에 기존의 자동차와 완전히 다른 경험을 선사할 수 있는 다양한 모빌리티 전문 기업으로 거듭나겠다고 선언한 것이다. 정 회장의 이런 계획은 전기차와 수소차, 자율주행차 등 차세대 자동차를 넘어 비행택시를 비롯한 도심항공모빌리티(UAM), 인공지능 로봇과 드론(무인기) 등으로 사업 영역을 확장한다는 의지를 담고 있다.

미래 청사진 제시로 리더십 확보한 정의선

현대차그룹은 정의선 회장의 비전을 실행하기 위해 그룹 차원에서 다방면으로 변화를 시도하고 있다. 우선 2025년까지 현대차를 스마트 모빌리티 전문 기업으로 탈바꿈하는 데만 41조 원을 투입할 계획이다. 자동차에 집중되어 있던 연구개발 조직도 신사업 분야에 적합한 형태로 재편했다. 또한 개방형 혁신을 통해 외부 기업과 협업하거나 전략적 투자로 핵심 기술을 확보하는 노력을 기울이고 있다. 이는 자동차 외의 모빌리티 분야에 혁신을 이끌 수 있도록 체질을 갖춰내겠다는 목적이다.

정의선 회장의 비전 선포식은 여러 중요한 의미를 내포하고 있다. 아버지인 정몽구 명예회장에 이어 현대차그룹 경영을 승계한 뒤 '정의선 시대'가 본격적으로 열렸음을 선언하는 동시에, 지속 성장을 추진하기 위한 비전과 전략을 분명하게 제시한 것이다. 미래 사업에 경쟁력을 확보하기 위해서라면 그룹의 핵심 기반인 완성차보다 유망 산업 분야에 더 많은 역량을 집중하겠다는 의지를 강력하게 보여준 점도 의미가 있다.

이듬해 회장으로 정식 취임한 정의선 회장의 행보는 더욱 공격적이었다. 미국의 로봇 전문 기업 보스턴다이내믹스(Boston Dynamics)를 인수해 자회사로 편입했다. 이 과정에서 정의선 회장도 직접 일부 지분을 매입하며 로봇 사업 육성에 강한 의지를 보였다. 보스턴다이내믹스는 인간 형태의 이족보행 로봇, 동물과 같은 사족보행 로봇 등을 산업용과 군사용, 서비스용 등으로 개발해 공급하는 로봇공학 분야의 선두 기업이다.

도심항공모빌리티 사업에는 대한항공과 KT 등 국내 기업은 물론 우버, 마이크로소프트 등 해외 주요 기업이 '동맹군'으로 합류했다. 전기차와 수소차 시장 성장에 대응하기 위한 움직임도 주목할 만하다. 유럽 등 주요 시장에서 이르면 2035년부터 내연기관 차량 판매를 완전히 중단하겠다는 과감한 목표를 제시했다. 글로벌 주요 국가의 신재생에너지 및 친환경차 지원 확대 추세에 맞춰 현대차그룹이 완전한 친환경차 전문 기업으로 변화할 수 있도록 관련 분야에 투자를 아끼지 않겠다는 계획이다.

정의선 회장이 주도한 미래 중심의 사업 체질 변화는 특히 로봇 분야에서 점차 결실을 맺어가고 있다. 2022년 미국 전기차 1위 기업인 테슬라는 인간형 인공지능 로봇 '옵티머스(Optimus)' 개발을 발표하고 로봇 대중화를 위한 비전을 내놓았다. 그런데 이는 현대차가 인수한 보스턴다이내믹스를 더욱 돋보이게 하는 결과로 이어졌다. 테슬라가 발표 행사에서 선보인 시제품이 제한된 동작과 낮은 완성도로 실망을 안긴 것에 비해 보스턴다이내믹스의 인간형 로봇 '아틀라스(Atlas)'는 빠른 속도와 세밀한 움직임, 주변 환경에 맞춘 판단 능력 등으로 건설과 물류, 재난 현장 등 분야에서 상당한 잠재 수요를 인정받고 있다. 정의선 회장은 2023년 1월 CES에서 "로보틱스(로봇 기술)는 더 이상 머나먼 꿈이 아닌 현실이다. 현대차는 로보틱스를 통해 위대한 성취를 이루고자 한다"고 말했다.

인공지능 로봇은 삼성전자도 최근 들어 핵심 신사업 가운데 하나로 앞세우는 분야다. 삼성전자 CEO인 한종희 부회장은 2023년 3월 기자간담회를 통해 로봇 플랫폼의 개발 계획을 공식화하며 "로봇은 새로운 성장동력"이라고 선언했다. 한종희 부회장은 삼성전자가 앞으로 로봇 분야에 역량을 집중해 사업 기회를 찾고 실제 제품을 순차적으로 선보이게 될 것이라며 연내 첫 로봇을 선보이고 인수합병도 성사될 수 있도록 노력하겠다고 밝혔다. 또한 삼성전자의 선행 기술 연구조직인 삼성리서치를 통해 로봇과 관련한 기술이 다방면으로 개발되고 있다는 점도 덧붙였다. 현대차를 비롯한 글로벌 주요 경쟁사와 비교해 진출 시기가 다소 늦었지만 상당한 기대를 걸고 있음을 알 수 있다.

한발 앞선 현대차, 뒤따르는 삼성전자

이재용 회장은 2021년부터 로봇과 인공지능 등 신사업에 3년 동안 240조 원을 투자하겠다는 계획을 제시했다. 현재 로봇 사업을 전담하는 팀 단위 조직이 출범해 사업화 가능성을 꾸준히 검토하고 있으며, 2023년에는 로봇 전문 기업 레인보우로보틱스(Rainbow Robotics)에 지분을 투자하는 등 외부 역량을 활용한 기술 발전을 모색하고 있다.

레인보우로보틱스는 생산 공장에서 활용하는 산업용 로봇과 사족보행 로봇, 인간형 로봇 기술을 자체적으로 보유하고 있는 기업이다. 삼성전자는 레인보우로보틱스를 인수하는 계획을 검토하는 등 단기간에 로봇 기술을 확보할 방안을 찾고 있다. 계획대로 추진된다면 차세대 로봇시장에서 삼성은 글로벌 주요 기업 가운데 하나로 떠오를 것이다. 현대차그룹과 경쟁은 피할 수 없게 된다.

삼성전자의 막대한 투자 여력과 전문인력, 인공지능 반도체를 비롯한 핵심 기술 역량과 브랜드 영향력 등을 고려하면 로봇 사업은 기존의 사업 분야와 시너지를 충분히 낼 수 있을 것이다. 실제로 삼성전자는 주방에서 요리를 보조하는 로봇, 노약자의 거동을 돕는 로봇과 사용자를 따라다니며 필요한 정보를 제공해주는 생활밀착형 로봇 시제품을 '삼성봇' 브랜드로 선보인 바 있다. 이러한 로봇은 삼성전자의 강점으로 꼽히는 가정용 사물인터넷 플랫폼과 연계해 활용성을 높일 수 있다. 또한 산업용 로봇은 제조업을 중심으로 하는 삼성전자의 특성상 다양한 생산 공장에서 활용될 잠재력이 있다.

아직 삼성전자의 로봇 사업 방향성을 파악하기는 다소 이른 시점이다. 하지만 삼성전자가 로봇을 주요 신사업으로 삼고 현대차와 글로벌 시장 선점 및 로봇 산업의 발전을 목표로 한 '선의의 경쟁'을 예고했다는 점에서 시장의 기대가 높아지고 있다.

LG, 전장부품 밸류체인의 완성을 꿈꾸다

삼성전자와 LG전자는 오랫동안 국내 가전 시장을 양분해왔다. 한때 최고의 백색가전은 LG전자, 흑색가전은 삼성전자 제품이라는 말이 있을 정도였다. 삼성전자와 LG전자, 그리고 두 기업을 구심점으로 두고 있는 여러 전자계열사는 이제는 내수 시장을 넘어 글로벌 시장으로 영역을 확장해 전 세계 전자 산업에 중요한 역할을 담당하고 있다.

한때 휴대폰 시장을 둘러싼 두 기업의 경쟁은 애니콜(Anycall)과 사이언(Cyon) 브랜드의 싸움으로 유명했다. 두 기업은 스마트폰 시대에도 전 세계 시장에서 애플과 함께 3강 체제를 유지하며 점유율 싸움을 지속했고, 이 과정에서 여러 부품 계열사의 성장을 이끌었다.

이를 통해 삼성전자와 LG전자는 모두 스마트폰의 핵심 부품을 자체적으로 개발해 생산하는 수직계열화 구조를 구축했다.

삼성전자는 카메라모듈과 전기회로 부품인 MLCC(적층 세라믹 콘덴서)를 생산하는 삼성전기, 배터리와 소재를 전문으로 하는 삼성SDI, 모바일 디스플레이를 책임지는 삼성디스플레이를 비롯한 핵심 계열사가 포진해 있다. 스마트폰에 사용되는 여러 시스템반도체와 메모리반도체도 자체 반도체 사업부를 통해 개발하고 제조했다. LG전자는 전자부품 전문 기업인 LG이노텍이 카메라모듈과 센서 등을, LG화학 전지사업부(현재 LG에너지솔루션으로 분사)가 배터리를, LG디스플레이가 디스플레이 패널을, 실리콘웍스(현재 LX세미콘)는 전력 반도체 등을 생산하며 나름의 부품 생태계를 확보했다. 이러한 계열사들은 삼성전자와 LG전자의 스마트폰 사업 성장에 맞춰 외형을 키우며 글로벌 고객사 기반을 넓혀나갔다.

스마트폰을 버리고 전장 사업으로 달려간 이유

그런데 삼성전자와 LG전자의 스마트폰 사업은 2021년을 기점으로 서로 다른 길을 걷게 됐다. LG전자가 2021년에 장기간 적자를 지속해오던 스마트폰 사업에서 철수한 것이다. 구광모 회장은

LG그룹의 새 회장에 오른 뒤 전자 업종을 비롯한 사업 전반에 과감한 재편 작업을 주도하며 스마트폰 철수라는 결단을 내렸다. 모바일 사업에서 다시 성장 기회를 찾기는 이미 어려워졌다는 판단 끝에 다른 신성장 사업에 역량과 자원을 더 집중하겠다고 선언한 것이다.

LG전자가 핵심 신사업으로 지목한 분야는 자동차 전장부품이다. 전장부품은 자동차에 쓰이는 여러 전기장치 부품을 의미하는데 스마트카와 전기차, 자율주행차 등 신기술 발전으로 사업 전망이 밝은 영역으로 꼽힌다. LG전자는 이미 전 세계에 고객사 기반을 넓혀나가면서 차세대 성장동력으로 전장 사업의 입지를 키워가고 있었는데, 스마트폰 사업에서 앞세웠던 밸류체인 전략을 전장부품 사업에도 특장점으로 활용하고 있는 것이 눈에 띈다. LG전자는 1조 원 이상을 들여 자동차 조명 업체 ZKW를 인수한 데 이어 전장부품 전문 업체 마그나(Magna)와 합작법인을 출범하는 등 신사업에 투자를 확대하고 있다.

전장부품 사업에서 LG전자의 밸류체인 전략은 LG디스플레이와 LG이노텍, LG에너지솔루션을 포함하는 폭넓은 공급망을 통해 시너지를 내는 방향으로 발전해왔다. LG전자는 이전부터 GM 등 해외 자동차 고객사에 인포테인먼트와 무선통신 장비인 텔레매틱스 등을 공급하며 세계 시장에서 높은 점유율을 확보했다. 안정성이 최우선으로 고려되는 자동차 전장부품 특성상 장기간의 사업 경험은 물량 수주에 큰 장점이다. 따라서 꾸준히 안정적으로 실적에 기여할 수 있는 신성장동력으로 삼기 적합한 분야라 할 수 있다.

그동안 스마트폰 부품 개발과 공급을 통해 축적해온 LG디스플레이의 중소형 올레드, LG이노텍의 고성능 카메라와 센서 기술은 스마트카 및 자율주행차의 핵심 부품이기도 하다. LG에너지솔루션은 글로벌 전기차 배터리 시장에서 중국 경쟁사를 제외하면 선두 기업으로 입지를 구축한 만큼 충분한 성장성을 증명한 바 있다. LG그룹이 앞세우는 밸류체인 전략의 관점에서 이러한 계열사들의 기술 경쟁력은 더욱 큰 시너지 효과를 일으킬 수 있는 요소로 꼽힌다. LG전자는 이런 시너지 효과를 내세워 주요 자동차 기업에 부품을 패키지로 공급하는 방식을 앞세우고 있다.

하만 인수에 숨은 전략

삼성전자도 2018년부터 그룹 차원의 4대 성장 사업으로 자동차 전장 분야를 지목하고 적극적으로 뛰어들고 있다. 이재용 회장은 2016년 전장부품 전문 업체 하만 인수를 주도하며 진출 계획을 공식화했다. 삼성전자는 자회사인 하만 이외에도 반도체 사업부에

하만 매출/영업이익 추이

단위: 조 원

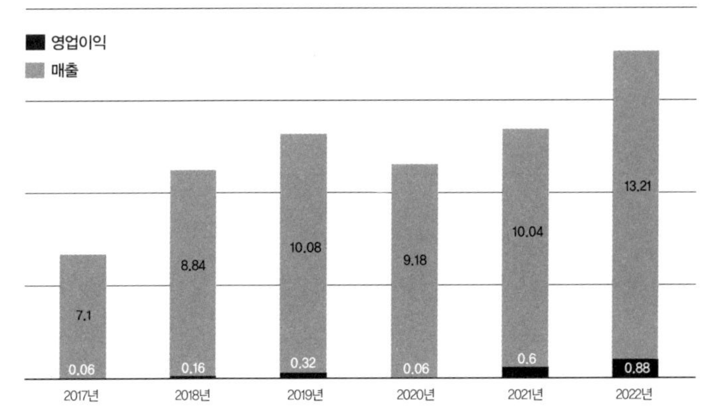

출처: 삼성전자

서 인포테인먼트 프로세서와 차량용 이미지센서 및 메모리반도체를 개발해 생산하고 있으며 삼성디스플레이는 다양한 자동차 디스플레이 라인업을 갖추고 있다. 삼성전기는 IT기기에 이어 전장용 MLCC를 미래 주요 사업으로 키워내기 위해 생산 투자를 확대 중이다. 마찬가지로 삼성SDI는 전기차 배터리 시장에서 주요 공급사이다.

삼성전자와 계열사의 자동차 전장 사업은 LG그룹과 마찬가지로 밸류체인 전략에 기반하고 있다. 즉, 스마트폰과 같은 기존의 사업 영역에서 쌓은 기술력을 활용해 자동차 기술 고도화에 따른 고사양 부품 수요에 대응하는 방식이다. 이재용 회장은 전장 사업 확대에 기대를 걸고 현장 경영을 통해 활발한 지원을 하고 있다. 2022년 말 BMW의 올리버 집세(Oliver Zipse) 회장을 만나 삼성SDI의 대규모 전기차 배터리 공급 계약에 관련해 직접 논의를 진행한 것이 대표적 행보다. 2023년에는 중국 톈진에 있는 삼성전기의 MLCC 공장을 방문해 전기차 및 자율주행 기술 발달과 더불어 빠르게 성장하고 있는 전장용 MLCC 시장에 적극적 대응을 당부했다.

삼성전자의 밸류체인 전략이 스마트폰에서 자동차 전장부품으로 이동하며 달라진 점은 흔히 삼성 '전자'와 '후자'로 불리던 삼성전자 및 계열사의 관계가 바뀌고 있다는 것이다. 주요 부품 계열사들이 삼성전자를 주요 고객사로 두고 있을 때는 공급 단가와 같은 측면에서 전자의 압박을 받을 수밖에 없었다. 부품 제조 계열사들은 삼성전자의 스마트폰 사업 전략에 따라 공급망을 변화시켜야 했다. 스마트폰 수익성 개선을 위한 원가 절감이 추진될 때는 부품사들이 실적 개선에 상대적으로 어려움을 겪기도 했다. 그러나 전장부품은 삼성전자와 계열사가 힘을 합쳐 글로벌 고객사를 대상으로 수주 기회를 노리는 사업인 만큼 삼성전자의 브랜드와 영향력에 따른 수혜를 함께 기대할 수 있다.

삼성전자와 LG전자는 차세대 핵심 성장동력으로 앞세우고 있는 자동차 전장부품 분야에서 어느 기업이 더 효과적으로 밸류체인 전략을 통해 성과를 거둘 수 있는지를 두고 경쟁을 벌이게 됐다. 다만 삼성과 LG그룹 계열사의 사업 영역에 다소 차이가 있는 만큼 직접적인 경쟁 구도를 형성할 가능성은 크지 않다.

그러나 전장부품은 이재용 회장과 구광모 회장 모두 그룹의 핵심 차세대 먹거리로 앞세운 사업이다. 좁게는 두 오너의 '자존심 대결' 측면에서, 더 크게는 첨단 자동차 부품 시장의 수요 대응이라는 측면에서 새로운 국면으로의 진입 가능성은 열려 있다.

삼성의 전장부품 사업은 반도체 등 삼성전자의 현재 주력 사업과 달리 이재용 회장이 초반부터 기틀을 잡고 추진해온 진정한 '이재용 사업'이다. 선대 회장의 그림자에서 벗어나 그룹의 새 성장동력을 발굴했다는 점은 경영자로서의 역량을 평가하는 데 중요한 요소다. 구광모 회장 역시 경영에 비교적 경험이 적고 젊은 나이에 회장직을 승계한 터라 과감한 사업 재편을 통해 역량을 집중한 결실을 보여줘야 하는 시점이 가까워지고 있다. 삼성전자와 LG전자의 경쟁은 두 오너에게 시험대이자 전 세계 자동차 부품 시장에서 우리나라가 주도권을 잡는 데 기회가 될 것이다.

제6장

VS. 삼성

2030 이재용의 삼성은
어떤 모습일까

황태자에서 경영인으로

이재용 삼성전자 회장의 취임은 삼성의 역사에 한 획을 긋는 변화다. 이 회장은 삼성의 후계자로 낙점돼 다양한 산업 분야에 전문성을 쌓고 경영 수업을 받아왔다. 그는 부회장 시절부터 병상에 있는 이건희 전 회장을 대신해 경영 전면에 나섰다. 해외 언론에서는 그를 언급할 때 '삼성의 황태자(Crown Prince)'라고 표현하곤 했다. 그의 회장 취임은 박근혜 정부의 국정농단 사태 및 이와 관련된 재판으로 인한 위기를 넘어 안정적인 경영 체제를 구축하게 됐다는 점에서도 주목할 만하다.

하지만 새로운 그룹 총수의 경영 승계 앞에는 좋지 못한 경제 상황이 기다리고 있었다. 회장에 취임한 2022년 10월은 코로나 팬데믹 여파에 따른 전 세계적인 인플레이션과 기준금리 인상, 글로벌 경기 침체라는 3중고를 만나야 했다. 또한 미국과 중국의 첨예한 무역 갈등, 우크라이나 전쟁과 같은 지정학적 위기로 불안감이 커지고 있었다. 탈세계화가 본격적으로 도래하면서 주요 국가의 경제와 산업 정책도 이전과 같지 않았다. 이재용 회장은 회장 직위에 오르자마자 다음과 같은 무거운 과제를 떠안게 됐다.

첫째, 글로벌 경제 불안에 따른 삼성전자의 사업적 타격을 방어하기 위해 대응 전략을 주도해야 하는 것은 물론, 안정적인 성장을 추진하기 위한 중장기 전략도 제시해야 한다. 둘째, 이를 통해 자신의 경영 능력과 리더십을 증명해 혈연에 따라 일찌감치 내정된 후계자에 불과하다는 비판을 넘어서야 한다.

현재 삼성전자 앞에 놓인 가장 시급한 문제는 전사 실적의 근간에 해당하는 반도체 사업이 흔들리고 있다는 것이다. IT 시장의 전반적인 침체와 물가 상승, 지정학적 갈등에 따른 공급망 불안 등 복합적인 원인으로 돌파구를 찾기 쉽지 않은 상황이다. 물론 위기만 있는 것은 아니다. 인공지능 사업이 중장기적으로 반도체 사업에서 핵심 성장동력이 될 것이라는 전망도 있으니, 위기와 기회가 공존하고 있다고도 할 수 있다. 삼성전자가 현재 겪고 있는 어려움을 순조롭게 극복하고 미래 신사업에 효과적으로 대응해 성장의 실마리를 찾는 사업 체질 변화가 중요한 시점이다.

삼성전자는 궁극적으로 '글로벌 일류 기업'으로 거듭나겠다는 목표를 두고 있다. 이를 위해서는 실적 안정성을 확보하고 지속 성장 기반을 동시에 구축해야 한다. 이러한 비전을 실현하기 위해서는 삼성전자 스스로가 안고 있는 한계와 약점을 극복해야 한다.

간략하게 정리하자면, 메모리반도체에 편중돼 외부 변수에 큰 영향을 받는 사업 구조와 하드웨어 전문 기업이라는 정체성, 글로벌 빅테크 기업과 비교해 뒤처지는 소프트웨어 역량의 문제를 해결해야 한다. 그리고 재벌기업의 특성으로 지목되는 경직된 조직문화, 오너 중심의 경영체제도 글로벌 기준에 맞춰 변화해야 한다. 이재용 회장 시대의 삼성전자는 결국 과거의 삼성전자를 가장 경계할 대상으로 삼아야 할 것이다. 이전의 성공 전략을 넘어 '자신과의 싸움'에서 이겨야 한다. 마지막 장에서는 그 실마리를 찾아보도록 하자.

전망은 밝지 않다

"(삼성전자가) 어려운 환경에서도 위기를 극복해온 비결은 본질에 집중한 것이다. 기술을 통해 고객을 위한 새로운 가치와 가능성을 만들어나가겠다."

한종희 삼성전자 대표이사는 2023년 3월 19일 삼성전자 주주총회에서 이 같은 인사말을 전하며 지속 성장에 대한 강력한 의지를 표명했다. 그는 2022년 글로벌 경제 성장 둔화로 어려움을 안게 된 상황에도 사상 최초로 연매출 300조 원을 달성했다는 점을 강조했다.

삼성전자의 최고경영자가 국내외 주요 주주들이 모인 자리에서 내놓은 메시지는 여러 시사점을 담고 있다. 먼저 삼성전자가 어려운 상황을 겪고 있다는 사실을 인정했다는 점, 그리고 이를 이겨낼 수 있을 것이라는 자신감 있는 태도를 보인 점, 마지막으로 기술 중심의 역량을 더욱 키우겠다는 전략 방향을 재확인한 것이다. 특히 반도체 사업에서 확실한 주도권을 확보하겠다는 약속은 눈여겨볼 대목이다.

하지만 삼성전자가 직면한 위기는 그 해결이 녹록지 않아 보인다. 한 부회장이 언급한 어려운 시장 환경은 2022년 하반기부터 전자제품과 반도체, 디스플레이 등 주력 사업의 부진으로 이어지고 있다. 2022년 3분기와 4분기 삼성전자의 전사 영업익은 전년 동기 대비 감소했다. 특히 핵심 사업인 반도체 부문 영업이익은 3분기에 50%, 4분기에 97% 가까이 하락했다. 2023년에는 반도체 사업에서 적자를 피하기 어려울 것이라는 전망이 유력하다. 전 세계적 인플레이션 심화에 따른 물가 상승으로 소비자들의 전자제품 수요 및 기업들의 데이터서버 등 인프라 투자가 급감하면서 반도체 산업 전반이 어려워졌기 때문이다. 원자재와 인건비 등 비용도 가파른 오름세를 보이며 꾸준한 시설 및 연구개발 투자가 필요한 삼성전자에 더욱 큰 경제적 부담을 지우고 있다.

다시 기술 중심 경영으로

삼성전자가 과거에 여러 위기를 극복할 수 있었던 비결은 결국 기술 중심 경영이었다. 메모리반도체 시장에서 경쟁사들의 물량 공세로 가격 경쟁이 치열해지자 삼성전자가 3D낸드 등 차별화한 기술로 활로를 찾은 일이 대표적이다. 중국 디스플레이 업체들의 공세가 강력해지자 올레드 패널에서 성장 기회를 발굴한 것도 같은 예다. 갤럭시노트7 리콜 사태로 스마트폰 사업에 차질이 빚어졌지만, 5G 통신과 폴더블 디스플레이 등 차세대 기술을 선제적으로 적용한 제품으로 브랜드 이미지를 회복한 일도 꼽을 수 있다. 한종희 부회장이 기술을 통해 삼성전자의 새로운 가능성을 열어가겠다고 자신한 것도 결국 과거의 위기 극복 전략을 다시금 재현해 성과를 내겠다는 의지를 내비친 것으로 해석할 수 있다.

반도체 사업의 주도권을 강조한 점 역시 비슷한 맥락에서 읽을 수 있다. 삼성전자 실적에서 지금은 물론이고 미래에도 한동안 가장 중요한 비중을 차지할 사업은 단연 반도체다. 실패하면 그룹의 근간이 흔들린다는 측면에서 반드시 수성해야 하는 분야다. 메모리반도체는 삼성전자가 부동의 세계 1위 자리를 유지하고 있는 상징적 사업인 만큼 반드시 굳건한 입지를 지켜내야 한다. 여기에 파운드리를 비롯한 시스템반도체는 미래 반도체 사업의 성장동력으로 중요한 한 축을 담당하게 된 터라 확실한 경쟁력을 구축해야 한다.

삼성전자가 반도체 시장을 주도한다는 목표는 두 가지 측면으로 이해할 수 있다. 먼저 메모리반도체 사업의 실적에 안정성을 확보하는 일이다. 반도체 시장은 업황 변동성이 커 수요와 공급에 따라 가격이 민감하게 움직인다. 2022년 4분기 반도체 영업익이 극심한 하락 폭을 보인 원인은 메모리 수요 부진에 따른 가격 하락에 있다. 메모리반도체 시장 환경 변화가 삼성전자 실적에 절대적 영향을 준다는 것을 다시 한번 확인한 예다. 이런 업황의 특성은 실적 안정성 측면에서 삼성전자의 약점으로 작용할 수밖에 없고, 수익성의 예측 가능성을 낮춰 기업가치나 중장기 투자 계획에도 불리하다.

D램이나 낸드플래시, SSD 등 메모리반도체 제품은 용도와 기능이 분명하기 때문에 경쟁사 제품과 차별화하는 일이 쉽지 않다. 하지만 이전의 위기에도 고용량 D램과 3D낸드 기반 메모리를 통해 극복한 전례가 있다. 이런 성과를 재현할 수 있는 신기술을 개발하

고 상용화하는 데 속도를 낸다면 과거의 성공 전략을 재현할 수 있을 것이다. 돌파구로는 HBM과 DDR5 등 새 규격을 적용한 고용량 서버 및 인공지능 컴퓨터용 메모리반도체, 데이터 전송 속도를 높인 기업용 SSD와 차량용 메모리반도체 등이 유력한 후보로 꼽힌다. 이러한 신기술을 경쟁사보다 앞서 선보이며 고객사 수요를 선점한다면 메모리 사업의 실적 안정성을 높일 수 있다.

시스템반도체 분야에서는 TSMC와 인텔 등 주요 경쟁사와 벌이는 파운드리 미세공정 기술 경쟁이 핵심이다. 앞에서 살펴본 것처럼 현재 세계 파운드리 업황 주도권은 TSMC가 손에 쥐고 있다. 파운드리 단가 책정이나 고객사 물량 확보 등에 영향력을 발휘하기 쉽지 않은 상황이다. 미세공정 신기술의 도입 속도를 앞당기거나 수율 안정화로 단가 측면에서 유리한 요소를 만들어내는 일 등이 이러한 약점을 이겨내는 데 효과적으로 기여할 수 있는 전략이다.

TSMC, 인텔, SK하이닉스, 마이크론 등 주요 경쟁사가 2023년 들어 반도체 업황 악화의 영향으로 투자 속도를 늦추거나 축소하고 있어 삼성전자로서는 기회가 열리고 있다. 위기 속에서도 과감한 기술 및 생산 투자를 이어나간다면 앞으로 반도체 시장 상황이 개선되었을 때 더 큰 성과를 기대할 수 있다. 그리고 이는 수익성 회복 시기를 앞당겨 더 많은 투자 여력을 확보하는 동력이 될 것이다. 반도체 시장 주도권을 통해 위기를 극복하겠다는 삼성전자의 사업 전략은 이러한 시나리오를 염두에 둔 것으로 해석된다.

'위기를 기회로 만든다'

삼성전자는 2023년 1분기 잠정 실적 발표 뒤 이례적으로 추가 설명자료를 내고 "의미 있는 수준으로 메모리 생산량을 하향조정하고 있다"고 밝힌 바 있다. 영업이익이 시장 기대치를 크게 밑도는 수준에 그친 원인이 메모리반도체 업황 악화에 있는 만큼 경쟁사를 뒤따라 출하량을 조절하겠다는 것이다. 다만 단기 생산 계획을 조정했을 뿐 중장기 수요 대응을 위한 인프라 투자는 지속하겠다는 계획을 함께 제시했다. 반도체 업황의 위기가 지나가면 곧바로 생산 증설에 다시 속도를 내겠다는 의지를 내비친 셈이다.

반도체 주도권을 잡아야 인공지능과 메타버스, 자율주행차 등 차세대 주요 산업에도 핵심 플레이어가 될 수 있다. 삼성전자는 현재 인공지능 기반 로봇과 증강현실, 스마트카 시스템 등과 관련한 분야를 미래 신사업으로 점찍었다. 관련한 인수합병과 협업도 확대하고 있다.

이러한 영역에서 앞서나가기 위해서는 고성능 연산을 담당하는 프로세서, 그래픽 및 인공지능 연산을 담당하는 그래픽 처리장치,

고사양 및 저전력 메모리반도체 등 다양한 반도체 기술 확보가 꼭 필요하다. 삼성전자가 반도체 기술력 측면에서 글로벌 시장 주도권을 확보할 수 있다면 여러 대형 IT 기업과 신산업 분야에서 맞경쟁도 충분히 해볼 만하다.

'위기를 기회로 만든다'는 삼성전자의 좌우명은 이건희 선대 회장 시절부터 이어져왔다. 이재용 회장이 지금의 위기를 효과적으로 극복해 삼성전자의 저력을 다시금 증명할 수 있다면 존재감을 더욱 돋보이게 할 수 있을 것이다.

하드웨어 전문 기업이라는 평가를 벗을 수 있을까

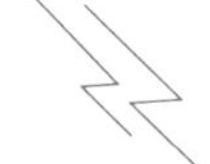

"인공지능의 시대는 이제 시작됐다. 챗GPT는 1980년 이후 IT 시장에 처음으로 등장한 혁명적 기술이다. 인공지능의 발전은 앞으로 5~10년 동안 반도체나 PC, 인터넷과 스마트폰의 발명과 견줄 만한 근본적 변화를 이끌어낼 것이며 모든 산업이 이를 중심으로 재편될 것이다."

빌 게이츠(Bill Gates)는 2023년 3월 자신의 블로그를 통해 챗GPT의 잠재력과 인공지능 기술의 발전에 대한 감상을 전했다. 그는 윈도와 같은 그래픽 기반 인터페이스가 1980년대부터 PC의 대중화에 결정적으로 기여한 것처럼, 챗GPT가 다양한 업무 분야와 일상생활에 인공지능의 활용을 주도할 것이라고 내다봤다.

챗GPT는 미국 인공지능 스타트업 오픈AI(OpenAI)가 선보인 거대 언어 모델(LLM) 기반의 대화형 서비스다. 사용자가 제시하는 질문에 적절한 답변을 내놓을 수 있도록 설계된 이 서비스는 2022년 말 상용화됐다. 개발자에 의해 대답이 미리 입력되거나 특정한 분야에 대해 학습되어 제한된 명령만 수행할 수 있던 기존의 인공지능 서비스와 달리 제공하는 정보의 완성도와 활용성 측면에서 차별화된 능력을 보이며 주목받고 있다. 이른바 '챗GPT 열풍'은 IT 업계를 넘어 경제와 산업 전반에 가장 큰 이슈로 떠올랐다.

일부 증권사들은 챗GPT가 메타버스보다 중요한 차세대 핵심 플랫폼으로 성장할 것이라고 전망한다. 아이폰의 등장과 같은 반향을 일으킬 것이라는 예측도 있다.

삼성전자에게 챗GPT가 던진 화두

인공지능이 미래 주요 산업의 유망주라는 관측은 이미 오래전부터 있었다. 하지만 이런 비전이 어떤 방식으로 구체화될 수 있을지에 대해서는 확실한 해답을 찾기 어려웠다. 그런데 챗GPT는 이에 대한 분명한 가능성을 제시한다.

구글의 검색엔진과 같이 폭넓은 범용성을 갖추고 있는 대화형 인공지능 기술은 문서 작성이 필요한 교육과 법률, 의료와 금융, 엔터테인먼트 분야에서 광범위하게 활용될 잠재력이 있다. 해당 업종에서는 사람의 역할을 대부분 대체해 실업률 상승을 이끌 수 있다는 전망도 있다.

경제와 산업 측면에서 챗GPT는 미국을 중심으로 한 대형 IT 기업들의 인공지능 투자 확대를 자극하고 있다. 마이크로소프트는 이미 챗GPT 개발사에 100억 달러에 이르는 투자 계획을 확정했다. 이와 함께 자체 검색엔진과 문서 소프트웨어, 윈도 운영체제 등 사업에 관련 기술을 도입하려는 움직임도 가속화하고 있다.

구글은 이에 맞서 챗GPT와 유사한 형태의 대화형 서비스 바드(Bard)를 시범 공개하며 발 빠르게 추격에 나서고 있다. 아마존도 클라우드 사업에 인공지능 모델을 도입하기로 했다. 바이두와 텐센트, 알리바바 등 중국 기업들도 일제히 대화형 인공지능 서비스 개발 계획을 공식화했다. 우리나라에서는 네이버와 카카오, 이동통신 3사가 기회를 노리고 있다.

삼성전자도 챗GPT의 등장이 뒤흔들고 있는 시장 변화에 자유로울 수 없다. 물론 삼성전자는 본질적으로 제조 전문기업이다. 따라서 직접 인공지능 서비스 개발에 나선 마이크로소프트와 구글 등 빅테크 기업과는 다소 입장이 다르다. 자체 플랫폼과 콘텐츠, 소프트웨어를 통해 실적을 거두는 IT 기업과 달리 삼성전자의 소프트웨어 분야 기술은 어디까지나 TV와 가전, 스마트폰 등 하드웨어 제품의 경쟁력 향상을 위한 보조적 성격을 띠고 있다. 빅스비와 같은 삼성전자의 자체 인공지능 서비스는 여러 기기들 사이의 원활한 연동과 편리한 기능 수행 등을 주목적으로 하고 있다는 점에서 챗GPT 모델과 근본적으로 다르다.

그러나 이는 삼성전자가 챗GPT 열풍과 무관하다는 뜻이 결코 아니다. 빅테크 기업이 인공지능 기술 경쟁에서 승기를 잡기 위해서는 삼성전자와 같은 기업을 반드시 중요한 파트너로 삼아야 하기 때문에 삼성전자의 중요성은 오히려 높아지고 있다.

이용자들이 챗GPT와 같은 서비스를 이용하려면 PC나 태블릿, 스마트폰 및 웨어러블 기기를 반드시 통해야 한다. 인공지능 기술이 폭넓게 활용되며 일상에 가까워질수록 이러한 제품의 수요도 늘어날 수밖에 없다. 그리고 인공지능 기술 개발과 서비스 운영을 위해 대량의 고사양 반도체가 꼭 필요하다는 점에서 삼성전자는 앞으로 더욱 중요한 기업으로 부상할 것이다.

특명! 고성능 반도체 수요를 차지하라

챗GPT와 같이 고도화된 인공지능 기술은 데이터를 학습할 때부터 엔비디아 등 기업이 개발하는 GPU 기반 반도체를 필요로 한다. 기술적 특성상 동시에 다수의 연산을 진행할 수 있는 병렬식 구조가 유리하기 때문이다. GPU는 다른 시스템반도체와 달리 이러한 방식에 특화되어 있다. 따라서 GPU를 생산하는 파운드리 위탁생산 수요가 늘어나고 데이터서버 구동에 필요한 고사양 D램과 SSD, HBM 등 차세대 규격의 메모리 등 다양한 메모리반도체 수요도 함께 커질 것이다. 인공지능 시장의 개막이 PC와 모바일, 자동차에 이어 새로운 반도체 핵심 수요처를 창출하는 것이다.

마이크론의 집계에 따르면, 챗GPT를 구동하는 데 필요한 메모리반도체의 용량은 일반 데이터서버의 다섯 배 수준이다. 또 원활한 기술 구현을 위해서는 저전력과 높은 대역폭 등 우수한 기술적 특성을 갖춘 반도체가 필요하다. 마이크론의 CEO 산제이 메로트라(Sanjay Mehrotra)는 2023년 2월 기술 포럼 테크서지 서밋(TechSurge Summit)에 참석해 "전 세계 경제의 20~30%가 직간접적으로 반도체에 의존하고 있다"며 "인공지능 시대에는 이러한 추세가 더욱 뚜렷해질 것"이라는 전망을 제시했다.

주목할 점은 그가 이러한 반도체 공급망이 대부분 아시아 지역에 갖춰져 있다는 데 아쉬움을 보였다는 것이다. 이는 한국에 본거지를 둔 삼성전자가 당분간 수혜를 차지할 것이라는 의미로 해석할 수 있다.

빅테크 기업들 사이의 치열한 인공지능 기술 경쟁은 더욱 발전한 하드웨어 성능을 확보하기 위한 투자 경쟁으로 이어질 것이 확실하다. 마이크론은 현재 챗GPT 서비스 구동에 필요한 CPU 코어가 28만 5,000개, GPU가 1만 개에 육박할 것이라고 예측하며, 1초당 400GB 수준의 데이터 전송 능력이 필요하다고 분석했다. 앞으로 출시되는 차세대 인공지능 서비스는 이보다 더 많은 고성능 반도체 수요로 이어질 것이다. 삼성전자는 이러한 수요에 적극적으로 대응하며 빅테크 기업과 더욱 깊은 공생관계를 구축하게 될 것으로 전망된다.

챗GPT의 사례에서 볼 수 있는 것처럼 소프트웨어 및 플랫폼 관련 기술을 보유한 업체와 반도체, 모바일 기기 등 하드웨어 기술을 전문으로 하는 삼성전자 같은 기업의 연합 관계는 앞으로 더욱 돈독해질 것이다.

다만 소프트웨어 및 플랫폼과 하드웨어 분야에서 모두 막강한 경쟁력을 자랑하는 애플, 반도체 기술에서 삼성전자 추격을 노리는 TSMC와 인텔 등 다양한 경쟁기업의 위협도 그만큼 커질 것으로 예상된다.

결국, 글로벌 스탠더드

삼성전자가 메타(페이스북)와 아마존, 애플과 넷플릭스, 구글 등 미국의 대형 IT 기업들과 함께 빅테크 기업으로 거듭날 수 있을까? 이에 대해서는 의견이 분분하다.

빅테크 기업들은 기술 혁신을 주도하는 기업이라는 이미지를 갖고 있다. 최근에는 테슬라, 엔비디아, 인텔과 같은 기업이 빅테크 기업으로 분류된다. 자율주행차나 인공지능 등 분야에서 업의 경계가 갈수록 모호해지고 있는 것과 관련이 깊다. 하지만 외신들을 살펴보면 빅테크 기업에 삼성전자를 포함시키는 경우는 매우 드물다. 왜 그럴까?

우선 앞에서 언급했듯이 삼성전자는 IT 플랫폼과 이를 통한 서비스 및 소프트웨어를 주력으로 하는 기업이 아니다. 제조 업체에 가깝다. 물론 테슬라도 직접 전기차를 생산하지만, 중장기적으로 자율주행 기술이나 인공지능 로봇, 차량호출 플랫폼 등에 무게중심을 두고 있어 삼성전자와 차이가 있다. 또 앞에 언급된 업체들이 대부분 실리콘밸리를 기반으로 급성장한 미국의 스타트업 출신 기업이라는 점도 염두에 두어야 한다. 삼성전자는 한국의 대표 재벌기업인 삼성이 여러 분야로 사업을 확장하는 과정에서 설립되어 확연히 다른 역사를 지니고 있기 때문이다.

외국 언론은 왜 삼성전자를 빅테크 기업으로 분류하지 않나

삼성전자의 이러한 특징은 종종 외국 언론이나 증권사들의 비판 대상이 되기도 한다. 재벌기업의 한계를 벗어나지 못한 채 오너 중심의 경영에 의존하고 있어 의사결정이나 지배구조 투명성 등 측면에서 취약하다는 것이다. 회사를 설립한 창업자가 물러난 뒤 이사회와 주주들의 신임을 받아 선임된 전문경영인이 회사 경영을 총괄하고 있는 대부분의 미국 대형 IT 기업과도 다르다.

중요한 사업적 의사결정과 대외 활동, 각국 정부와 소통 등 활동이 모두 오너인 이재용 회장을 중심으로 이뤄지고 있다. 라이벌 기업과 삼성전자를 비교할 때 이러한 경영 체제의 차이는 약점으로 지적되곤 한다.

TSMC, 애플, 인텔, 마이크론 등 삼성전자의 반도체와 모바일 등 핵심 사업에서 라이벌로 거론되는 기업들은 모두 전문경영인 체제를 갖추고 있다. 마이크로소프트와 구글, 아마존 등 빅테크 기업도 마찬가지다. 물론 메타와 테슬라 등은 각각 마크 저커버그, 일론 머스크(Elon Musk)라는 걸출한 창업주가 여전히 CEO 직책을 유지하고 있다. 하지만 이들은 창립 뒤 연혁이 비교적 짧다는 점에서 삼성전자와 직접적으로 비교하기 어렵다.

반면 삼성전자는 이병철 창업주 이후 이건희 선대 회장과 이재용 회장으로 이어지는 한국 대기업 전통의 경영 승계를 고수해왔다. 중국 기업들의 경우에는 대부분 정부 주도로 사업이 이뤄지고 있다는 점에서 특수한 경우에 해당하기 때문에 삼성전자와 같은 오너경영 체제는 빅테크 기업과 더욱 대비된다.

「BBC」는 국정농단 사태에 휘말린 이재용 회장의 사례를 조명하는 기사에서 "삼성이 한국의 정경유착과 재벌 중심 경제 구조의 단점을 대표적으로 보여주고 있다"고 지적했다. 삼성전자가 이러한 비판을 계기로 '글로벌 스탠더드'에 맞는 지배구조와 의사결정 체계를 갖춰내야 한다는 목소리가 커지고 있다. 환경과 사회, 지배구조 문제에 집중하는 ESG 경영이 전 세계에 중요한 화두로 떠오르면서 이러한 흐름은 더욱 무시하기 어려울 것이다.

삼성전자의 경영 체제와 지배구조는 점차 글로벌 기업들과 유사해질 것이다. 오너 일가 및 계열사가 다수의 지분으로 경영권을 유지하는 것이 아닌, 이사회 중심의 경영 체제가 자리 잡으면서 이사회와 주주들의 신임을 얻은 경영인을 중심으로 회사를 운영하게 되는 것이다. 결국 이재용 회장이 삼성전자의 경영에 계속 참여하기 위해서는 자신의 역량을 꾸준히 증명하고 인정받아야만 한다.

글로벌 스탠더드 따르겠다는 이재용 회장의 의지

물론 삼성전자와 같은 오너 경영 중심의 기업이 단점만을 안고 있는 것은 아니다. 특히 우리나라처럼 IT 산업에서 오랜 기간 경험을 쌓은 경영자가 부족하고 전문경영인이 장기간 자리를 유지하기 어려운 기업 환경을 고려한다면 더욱 그렇다. 그렇기 때문에 기업을 승계한 오너경영자의 역할은 매우 중요하다.

중장기 관점에서 최대 수백조 원에 이르는 자금이 필요한 대규모 인수합병이나 반도체 시설 투자 등을 전문경영인이 주도하기는 쉽지 않은 것이 현실이다. 또한 해외 대기업과 사업적 협력을 추진할 때도 대기업 총수가 나서는 일이 큰 의미를 담고 있기 때문에 이러한 의사결정 체계도 충분한 장점을 확보하고 있다.

삼성전자는 당분간 이재용 회장 중심의 오너 경영 체제를 유지하면서 문제를 해결해야 한다. 그의 앞에는 글로벌 스탠더드에 최대한 가까워질 수 있도록 이사회 및 전문경영인의 역할을 강화하고 의사결정에 투명성을 확보하는 과제가 놓여 있다. 이 회장 역시 미래전략실이나 사업지원 TF(태스크포스)와 같이 의사결정 구조가 불분명한 컨트롤타워 조직이 경영에 큰 영향을 미치는 과거의 사례를 재현하지 않겠다고 밝혔다. 삼성전자는 최근 수년 동안 이사회에 반도체 분야 전문가와 해외 출신 경영자, 여성 등 전문성과 다양성을 갖춘 사외이사를 포함하려는 움직임을 보이고 있다. 또 그룹 차원에서는 준법감시위원회를 통해 지배구조 개선 및 경영 투명성 강화에 꾸준히 자문받으며 변화를 추진하고 있다.

이재용 회장이 삼성의 경영 전면에 나선 뒤 보인 태도는 이러한 고민들을 반영하고 있다. 2020년에 이재용 회장은 삼성의 경영 승계 및 노동조합 문제에 관련해 대국민 사과문을 발표하면서 "자녀에게 회사 경영권을 물려주지 않을 생각이다. (이런 계획을) 오래전부터 마음속에 두고 있었다"고 말했다.

삼성전자가 오너 경영이 아닌 주요 글로벌 기업과 같은 전문경영인 체제로 전환하게 될 것이라는 점을 선언한 것으로 해석해도 무방하다. 이재용 회장은 2016년 국정농단 사태와 관련한 청문회에서도 "더 훌륭한 전문경영인이 있다면 언제든 경영권을 넘길 수 있다"고 말했다. 자신의 경영 능력을 인정받겠다는 다짐과 함께 삼성전자가 글로벌 스탠더드에 맞는 기업으로 거듭나도록 하겠다는 목표를 두고 준비하겠다는 의미다.

결과만이 모든 것을 말한다

이 책에서 삼성전자의 미래를 전망하는 시점을 2030년으로 정한 이유는 크게 두 가지다. 우선 이재용 회장이 제시한 '시스템반도체 비전 2030'은 앞으로 삼성이 나아갈 방향성에 중요한 의미를 내포하고 있다. 기존 주력 사업인 메모리가 아닌 분야에서 세계 선두에 오르겠다는 목표는 주요 경쟁사를 모두 제치고 범접할 수 없는 반도체 기업으로 거듭나겠다는 뜻이다.

2030년까지 삼성전자의 정체성은 반도체 전문 설계 및 제조사라는 큰 틀에서 벗어나지 않을 것이다. 그렇다면 어떠한 라이벌도 흉내 낼 수 없는 유일무이한 시스템 및 메모리 반도체 종합 기업으로 발전해야 확실하고 지속가능한 성공을 보장할 수 있다.

두 번째 이유는 현재 IT 산업의 '대세'로 떠오르는 여러 신기술이 상용화를 넘어 본격적으로 대중화되는 시점이 2030년 전후로 예상되기 때문이다. 이들 신기술에는 진정한 인공지능 기반 기술과 자율주행차를 비롯한 차세대 모빌리티, 증강현실과 같은 메타버스 등이 포함된다.

10년 주기로 보면 2000년부터 2010년은 인터넷의 시대, 2011년부터 2020년은 모바일의 시대로 정의할 수 있다. 그다음 2030년까지의 10년은 현재 수면 위에 등장한 여러 신기술 가운데 과거 인터넷이나 모바일이 그랬듯 IT 시장 환경을 송두리째 바꿔낼 기술이 자리 잡고 발전하는 기간이 될 것이다.

이러한 변화 주기가 반복될 때마다 승자 기업과 패자 기업은 극명하게 갈린다. 결국 2030년은 삼성전자가 이러한 흐름에 충분히 효과적으로 대응했는지에 대한 완전한 성적표를 받게 될 시점이다. 이 성적표는 다음 10년의 경쟁에서 삼성전자가 유리한 고지에 오를지, 아니면 여전히 기울어진 운동장에서 불리한 싸움을 이어갈지 예측할 수 있는 근거가 될 수도 있다.

세계 경제의 흐름을 읽어내고 전망하는 것은 갈수록 어렵다. 물론 과거에도 미래의 상황을 정확하게 짚어내는 것은 극소수만이 성공한 일이다. 하지만 이제는 그 어느 때보다 더 많은 변수가 발생하고 있고 이는 더욱 극단적인 차이를 불러와 불확실성을 키우고 있다. 포스트 코로나와 뉴 노멀, 4차 산업혁명의 실현 등 다수의 키워드가 현재를 대표하는 문구로 쓰인다. 글로벌 저성장 시대, 공급망이 단절되는 탈세계화 시대 등 비관적 표현도 존재한다. 이는 모두 삼성전자와 같은 기업이 염두에 두고 사업과 경영 전략에 반영해야 할 요소다. 글로벌 산업 지형도와 경제 상황, 각국의 정책과 무역 관계도 모두 이전보다 빠른 속도로 변화하고 있다. 삼성전자가 더욱 어려워지는 시험대에 놓이고 있는 셈이다.

이 과정에서 여러 경쟁사와 삼성전자의 대결은 삼성전자가 미래에 승자로 남을 수 있을지 평가하는 근거가 되는 중간고사에 해당한다. 아쉽게도 메모리반도체 이외에 대부분의 사업 영역에서 삼성전자의 현재 성적은 확실한 미래를 보장하는 수준에 미치지 못하고 있다. 전 세계 산업 지형 변화에서 삼성전자는 중심을 잡지 못하고 흔들리고 있다. 당장 미국과 중국의 갈등 상황에 계속해 끌려다닐 수밖에 없는 처지다. 생산 거점을 다변화하려는 노력도 다소 뒤처지고 있다. 지정학적 리스크 확대와 탈세계화 흐름에서의 대응 전략도 흐릿하다.

삼성전자도 이러한 상황을 분명히 인지하고 있는 만큼 앞으로는 더욱 과감하고 미래에 확신을 줄 수 있는 행보를 이어갈 것이다. 이재용 회장은 회장에 정식 취임한 뒤 해외 출장 및 글로벌 대기업 경영진과의 만남을 더욱 활발히 가지고 있다. 이러한 결실을 확인할 수 있는 투자 및 협력 발표가 곧 이어질 것이다.

미국과 유럽 내 반도체 공장 추가 건설, 신사업 진출 선언 등 삼성전자의 중장기 비전을 증명할 수 있는 모멘텀도 구체화될 수 있다. 다만 이러한 변화가 삼성을 바라보는 시장의 눈높이를 충분히 맞출 수 있을지는 미지수다.

그동안 삼성전자는 완벽주의를 추구하며 다소 보수적인 태도를 보여왔다. 사업계획이나 전략 방향 등 측면에서 현실성이 낮은 무리한 계획은 좀처럼 내놓지 않았다. TSMC나 인텔, 중국 등의 최근 행보를 고려할 때 확실하게 상반되는 지점이다. 신뢰성 측면에서 장점이지만 이제는 좀 더 적극적인 자세가 요구된다.

'시스템반도체 비전 2030'과 같은 발표는 이러한 기존의 틀을 깼다는 측면에서 높이 평가할 만하다. 하지만 이로부터 이미 수년의 시간이 흐른 만큼 새로운 시장 환경에 맞춘 공격적 목표를 다시금 제시할 때가 왔다. 2030년 시가총액 1,000조 원 달성, 연매출 500조 원 달성과 같은 구체적인 수치를 내놓는 것도 방법이 될 수 있다.

2030년 삼성전자의 미래를 평가하는 기준은 결국 해당 시점의 성과와 전 세계에서 차지하는 영향력 등이 될 수밖에 없다. 라이벌 기업과 아무리 힘겨운 싸움의 과정을 벌였더라도 결국 모든 것을 말해주는 것은 결과뿐이다. 삼성전자에 남은 시간은 촉박하지만, 미래를 바꿔내기에는 충분한 기회가 있다.

2030 삼성전자 시나리오

초판 1쇄 발행 2023년 7월 14일

지은이 김용원
펴낸이 신현만
펴낸곳 (주)커리어케어 출판본부 SAYKOREA
출판본부장 이강필
편집 박진희 손성원
마케팅 허성권
디자인 디자인붐

등록 2014년 1월 22일 (제2008-000060호)
주소 03385 서울시 강남구 테헤란로 87길 35 금강타워3, 5-8F
전화 02-2286-3813
팩스 02-6008-3980
홈페이지 www.saykorea.co.kr
인스타그램 instagram.com/saykoreabooks
블로그 blog.naver.com/saykoreabooks

ISBN 979-11-977345-9-5 03320